Embarque 2 (A2+)

Libro de ejercicios

Montserrat Alonso Cuenca
Rocío Prieto Prieto

Índice

1.ª edición: 2011
6.ª impresión: 2018

Edelsa Grupo Didascalia, S.A. Madrid, 2011.
Autoras: Montserrat Alonso Cuenca, Rocío Prieto Prieto.

Dirección y coordinación editorial: Departamento de Edición de Edelsa.
Diseño de cubierta: Departamento de Imagen de Edelsa.
Diseño y maquetación interior: Grafimarque, S.A.

ISBN: 978-84-7711-956-2
Depósito legal: M-32965-2011

Impreso en España/*Printed in Spain*

Léxico

LOS ADJETIVOS DE CARÁCTER Y PERSONALIDAD

1 **Observa las imágenes y escribe un adjetivo del recuadro debajo. Después escribe su opuesto.**

• aburrido	• alegre	• generoso	• sincero
• vago	• pesimista	• nervioso	• abierto

1

- ....
- ....

2

- ....
- ....

3

- ....
- ....

4

- ....
- ....

5

- ....
- ....

6

- ....
- ....

7

- ....
- ....

8

- ....
- ....

2 **Busca ocho adjetivos de carácter en esta sopa de letras y escríbelos.**

T A R E S E R V A D O
R A N T I P A T I C O
O N T I R A P I C O A
D I M P E R F J E S G
A T O L E R A N T E O
J K S S E G A B I E A
A J O T Z N O B U E B
B T I R E M L I J A U
A E V E U N I P S T R
R L R S M T R I S T E
T A E X D E R Y U N A
M E N T I R O S O I D

1. ....
2. ....
3. ....
4. ....
5. ....
6. ....
7. ....
8. ....

LAS ACTIVIDADES DE OCIO

3 **Completa las frases con los verbos adecuados en presente de indicativo.**

• hacer • ir • visitar • ver • cocinar • montar • jugar • salir • escuchar • aprender

1. Mis amigas y yo .... el Museo del Prado.
2. (Ellos) .... un plato típico de España.
3. (Yo) .... la televisión por la noche.
4. (Tú) .... fotos a los animales del zoo.
5. En verano (yo) .... a conciertos.
6. (Usted) .... español en este curso.
7. Mis compañeros .... al vóley-playa.
8. Los fines de semana Carlos .... en bici con su pareja.
9. (Yo) .... con mis amigos el sábado por la noche.
10. (Vosotros) .... un concierto de música clásica.

LAS ACTIVIDADES ACADÉMICAS Y CULTURALES

4 **Observa estos libros y escribe debajo de cada uno qué puedes estudiar con ellos.**

• fonética • español de los negocios • gramática • literatura • cine español

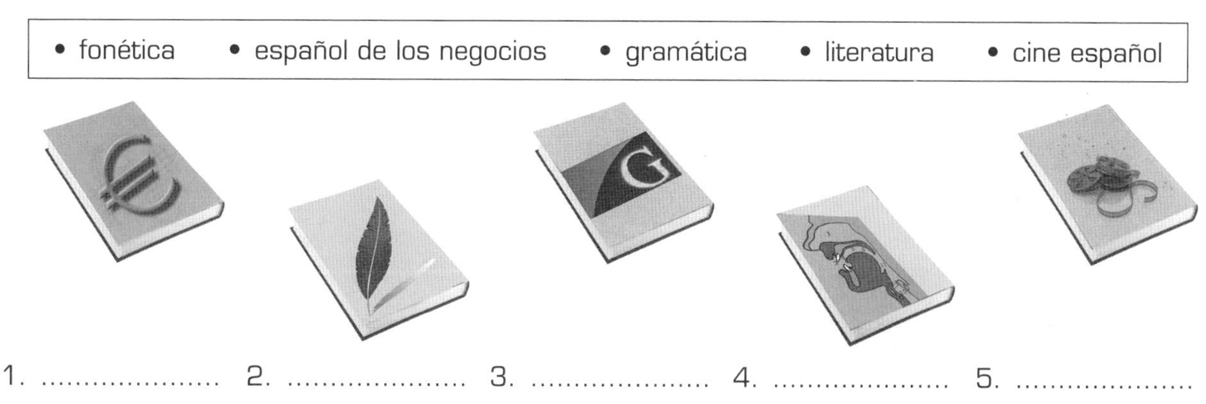

1. .... 2. .... 3. .... 4. .... 5. ....

5 **Aquí tienes las actividades culturales que propone este centro de idiomas. Completa la información con las palabras del recuadro.**

• clases de flamenco • clases de baile • visita al Museo Reina Sofía • excursión a Córdoba • clases de cocina española • clase de guitarra

Centro de idiomas Embarque
ACTIVIDADES CULTURALES
Octubre

1. ....
Exposición de la obra de Picasso.

2. ....
Ciudad Patrimonio de la Humanidad.

3. ....
¿Sabes hacer paella?

4. ....
¿Quieres aprender a tocar?

5. ....
Salsa, merengue, tango, etc.

6. ....
Baile español.

Gramática y Funciones

EL PRESENTE DE INDICATIVO DE *SER* Y *ESTAR*

1 **Completa con *ser* o *estar* la presentación que hace Rubén sobre su compañera de piso.**

Paloma .... una compañera de piso que .... conmigo en la clase de Biología. .... española y vive en Zaragoza, una ciudad que .... entre Madrid y Barcelona. Su fecha de nacimiento .... el 19 de junio de 1990. .... soltera y .... una persona abierta y divertida. Su novio .... de Italia, pero ahora .... en España porque .... profesor de italiano en la universidad.

EL GÉNERO Y EL NÚMERO DE LOS ADJETIVOS

2 **Clasifica estos adjetivos en la tabla y completa con las formas que faltan.**

- intolerante
- trabajador
- optimista
- tranquilo
- hablador
- responsable
- sincero
- pesimista

El género y número de los adjetivos de carácter y personalidad			
singular		**plural**	
masculino	**femenino**	**masculino**	**femenino**
-o .... -or	-a .... -ora	-s .... -es	-s .... -as ....
-e .... -ista		-s .... -s	

3 **Escribe el masculino y el plural de estos adjetivos.**

	masculino	plural
1. sincera	....	....
2. tranquila	....	....
3. alegre	....	....
4. trabajadora	....	....
5. generosa	....	....
6. inteligente	....	....
7. pesimista	....	....
8. tolerante	....	....
9. egoísta	....	....
10. vaga	....	....

EL GÉNERO Y EL NÚMERO DE LOS SUSTANTIVOS

4 **Escribe el singular de estos sustantivos con el artículo definido adecuado.**

1. días ....
2. colores ....
3. playas ....
4. deportes ....
5. artistas ....
6. fotografías ....
7. naranjas ....
8. parques ....
9. museos ....
10. ciudades ....

5 Clasifica los sustantivos del cuadro en su grupo correspondiente. Escribe el artículo definido.

• programa • televisión • deporte • actividad • economista • parque • cine
• fotografía • formación • deportista • universidad • trabajo • color • radio
• vejez • jabalí • amor • composición • artista • mitad • compasión • botella
• relación • solicitud • rojo • periodista • chico • tema • estadio • menú
• calor • libro • sistema • felicidad • corazón • mujer • investigación
• revisión • idioma • música • doctor • hombre • razón • estudio • dentista

1. El estudi**o** ....
   *Excepción: *la foto, la radio.*
2. La músic**a** ....
3. El cin**e** ....
   *Excepción: *la muerte.*
4. El doct**or** ....
   *Excepción: *la flor.*
5. El proble**ma** ....
6. La ciu**dad** ....
7. La composi**ción** ....
8. La televi**sión** ....
9. El/la periodi**sta** ....
10. Otros ....

EL VERBO *GUSTAR* Y LOS PRONOMBRES DE OBJETO INDIRECTO

6 Escribe la frase completa con el pronombre y la forma correcta del verbo *gustar*.

1. Él/no/gustar/el flamenco. ....
2. Yo/gustar/mucho/los deportes. ....
3. Nosotros/gustar/cantar/en el karaoke. ....
4. Tú/gustar/la música *rock*. ....
5. Ella/gustar/correr y nadar. ....
6. Ustedes/no/gustar/nada/ir de compras. ....
7. Nosotros/gustar/las personas abiertas. ....
8. Yo/gustar/ser/generosa. ....
9. Vosotros/gustar/mucho/el chocolate. ....
10. Ellos/gustar/las clases de guitarra. ....

7 Completa las frases con el verbo *gustar* y reacciona según tus gustos.

1. Me .... las playas del Caribe. • *A mí* ....
2. A mí no me .... pasear por el campo. • ....
3. A ellos les .... los días soleados. • ....
4. A ustedes les .... aprender otros idiomas. • ....
5. A ti y a mí nos .... los conciertos. • ....
6. A mí no me .... el baloncesto. • ....
7. A él le .... el deporte. • ....
8. A nosotros nos .... conocer otras ciudades. • ....
9. A vosotros os .... las excursiones. • ....
10. A mí me .... los pasteles. • ....

EL PRESENTE DE LOS VERBOS REGULARES E IRREGULARES

8 **Clasifica estos verbos en su grupo correspondiente.**

• acostarse • calentar • divertirse • doler • freír • elegir • encontrar • entender • llover • mentir • merendar • morir • pedir • pensar • perder • poder • poner • preferir • valer • salir • sentarse • sentirse • servir • soñar • tener • traer • venir • vestirse • volar • volver

-go	e>ie	o>ue	e>i	u>ue
hacer	*querer*	*dormir*	*repetir*	*jugar*

9 **Completa la tabla con el presente de indicativo de estos verbos.**

ir	dar	saber	ver	oír	decir
				oyes	
va					
					decimos
	dais	*sabéis*			
			ven		

10 **Escribe la persona y el infinitivo de estos verbos.**

1. quiero ....
2. puede ....
3. salimos ....
4. trabaja ....
5. leo ....
6. haces ....
7. conozco ....
8. prefiere ....
9. empezáis ....
10. aprenden ....
11. comemos ....
12. sabes ....
13. vemos ....
14. viven ....
15. sé ....

11 **Completa las frases con los verbos en presente.**

1. ● ¿Qué (hacer, nosotros) .... este fin de semana?
   ○ (Poder, nosotros) .... ir de excursión a Toledo.
2. ● (Querer, yo) .... hacer un curso de español de la salud.
   ○ Yo también porque no (conocer, yo) .... el sistema sanitario español.
3. En clase de Fonética (repetir, vosotros) .... los sonidos.
4. ● ¿(Estudiar, tú) .... español de los negocios?
   ○ Sí, porque no (saber, yo) .... cómo funciona una empresa española.
5. ● ¿Qué (hacer, tú) .... en clase de conversación?
   ○ (Aprender, yo) .... estructuras para comunicarme mejor.

LOS PRONOMBRES INTERROGATIVOS

12 **Completa los minidiálogos con las preguntas adecuadas.**

1. ● Hola, soy Juanjo, ¿y tú? ¿.................?
   ○ Hola, me llamo Marisa, ¿.................?
   ● Muy bien, gracias, ¿y tú?
   ○ Muy bien también.

2. ● Oye, ¿...?
   ○ Mi clase favorita es español.
   ● ¿...?
   ○ Estudio español porque me gustan mucho los idiomas.
   ● ¿...?
   ○ Tres horas al día. También hacemos actividades culturales.
   ● ¿...?
   ○ Por ejemplo, el sábado vamos de excursión a Granada.

LA PERÍFRASIS *IR A* + INFINITIVO

13 Completa con *ir a* + infinitivo.

1. ¿Por qué (viajar, tú) .... a un país hispanohablante?
2. ¿Cuándo (regresar, él) .... a su país?
3. ¿En qué cursos (matricularse, vosotros) ....?
4. ¿Qué libros (leer, ustedes) .... en clase de español?
5. ¿Dónde (bailar, ellos) .... flamenco?
6. ¿Qué ciudades (visitar, tú) .... en España?
7. ¿Qué plato típico español (aprender, nosotros) ....?
8. ¿Cómo (practicar, ella) .... la gramática?

EXPRESAR CAUSA

14 Lee los mensajes de estos estudiantes y escribe las razones por las que aprenden español.

1. Marie ....
2. Clara ....
3. Richard ....
4. John ....

15 Escribe un correo a un amigo y explícale cuatro razones por las que quieres aprender español.

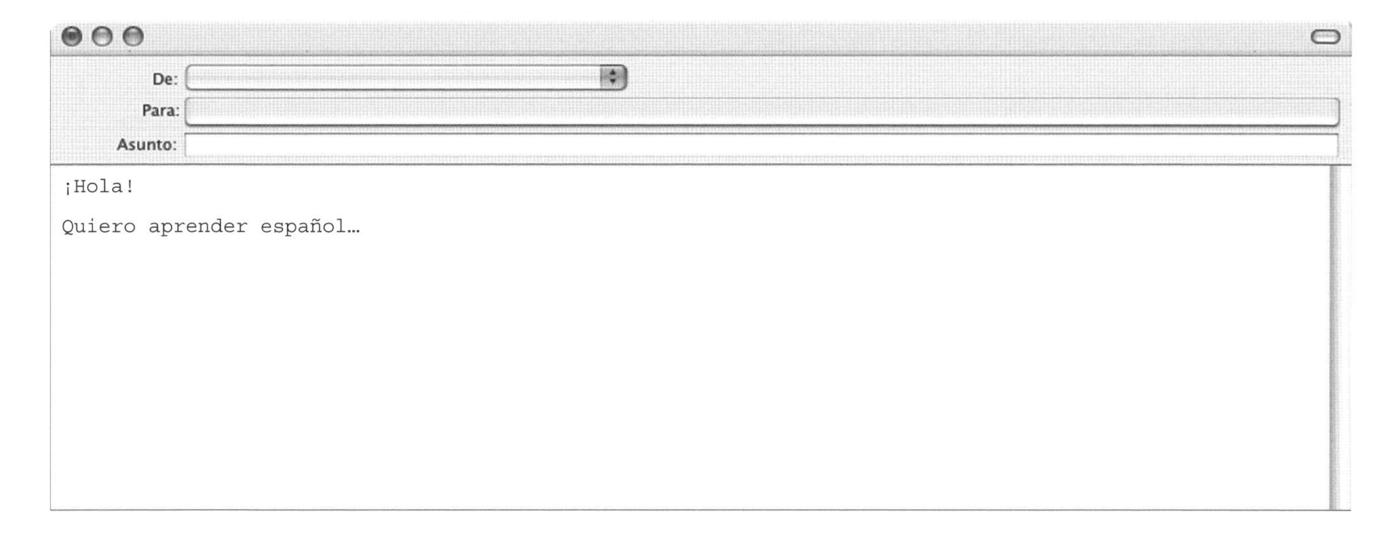

FICHA DE APRENDIZAJE

AHORA YA SABES

Saludar y despedirse
- *Buenos días.*
- *Buenas tardes/noches.*
- *Hola, ¿qué tal?/¿cómo estás?*
- *¡Adiós!*
- *Adiós, buenos días.*
- *Hasta mañana/luego/pronto.*
- *Hasta el sábado.*

Responder a un saludo
- *¡Hola!*
- *Buenos días.*
- *Buenas tardes/noches.*
- *(Muy) bien, gracias, ¿y tú/usted?*
- *(Muy) bien. Y tú/usted, ¿qué tal?*
- *(Muy) bien. Y tú/usted, ¿cómo está/s?*

Presentarse
- *Hola, soy Rubén, ¿qué tal?*
- *Buenos días, me llamo Julia Blanco Sanz, soy estudiante.*

Presentar a alguien
informal
- *Este es Rubén.*
- *Te presento a Rubén.*
- *Te presento a mi hermano/novio Rubén.*

formal
- *Le presento al señor Vera.*
- *Le presento al señor Vera, el director del centro.*

Responder a una presentación
- *Encantado/a.*
- *Mucho gusto.*
- *¡Hola!, ¿qué tal?*

Pedir información personal
- *¿Cómo te llamas?*
- *¿Cuáles son tus apellidos?*
- *¿De dónde eres?*
- *¿Dónde vives?*
- *¿Cuál es tu fecha/lugar de nacimiento?*
- *¿Cuántos años tienes?*
- *¿Cuál es tu estado civil?*
- *¿Cuál es tu nacionalidad?*
- *¿Cuál es tu correo electrónico?*
- *¿Cuál es tu teléfono?*

Hablar del carácter y la personalidad
- *Es optimista.*

Expresar gustos
- *Me gusta el cine.*
  A mí también/A mí no.
- *No me gusta el cine.*
  A mí tampoco/A mí sí.

Hablar de planes e intenciones
- *Voy a viajar por el mundo.*

Expresar causa
- *¿Por qué haces un curso de español?*
- *Porque soy guía turístico.*

AHORA YA CONOCES

Los datos personales
- *el nombre, el apellido, el lugar y la fecha de nacimiento, el correo electrónico, la dirección, el número de teléfono, el estado civil, la nacionalidad, el lugar de origen.*

Los adjetivos de carácter
- *tolerante-intolerante, optimista-pesimista, abierto/a-reservado/a, tranquilo/a-nervioso/a, generoso/a-egoísta, sincero/a-mentiroso/a, trabajador/-a-vago/a, divertido/a-aburrido/a, alegre-triste, simpático/a-antipático/a.*

Las actividades de ocio
- *visitar museos, pintar, ir al cine/a la playa/a conciertos, practicar y hacer deporte, viajar, bailar, salir con los amigos, jugar al vóley-playa/baloncesto/tenis, escuchar música clásica, cantar, hacer fotos, pasear por el campo, estar en casa con los amigos, cocinar, ver la televisión, nadar, aprender otros idiomas, montar en bici.*

Las actividades académicas y culturales
- *el curso de conversación/gramática/fonética/escritura creativa/civilización y cultura/cine español e hispanoamericano/español de la salud/Literatura/Historia/Arte/Música/Política/español de los negocios. La visita cultural/al museo/guiada a una ciudad. Las clases de cocina/sevillanas/flamenco/tango/salsa.*

Fonética y Ortografía

El sonido [m] y su grafía: *m*

La letra *m* (eme) se pronuncia [m]: *mentiroso, optimista.*

- Delante de *p* y *b* siempre se escribe *m*: *nombre, tiempo.*
- Aparece al final en algunas palabras de origen extranjero: *currículum.*

El sonido [n] y su grafía: *n*

La letra *n* (ene) se pronuncia [n]: *uno, concierto, nadar.*

1 **Escucha y repite estas palabras con *m*.**

1. álbum
2. pesimista
3. idiomas
4. gramática
5. mentiroso
6. flamenco
7. museo
8. hombre
9. mamá
10. lámpara
11. tambor
12. miércoles

2 **Escucha y repite estas palabras con *n*.**

1. nacimiento
2. nervioso
3. natación
4. sincero
5. nacionalidad
6. tranquilo
7. televisión
8. tenis
9. invitar
10. nocturno
11. luna
12. bandera

3 **Escucha y completa las palabras con *m* o *n*.**

1. __ o __ tar
2. ca __ po
3. fla __ e __ co
4. i __ vitados
5. __ o __ bre
6. referé __ du __
7. i __ vitació __
8. ca __ eri __ o
9. __ ú __ ero
10. __ a __ tel
11. __ ore __ a
12. ali __ e __ to

4 **Marca la palabra que escuchas.**

1. tomo ☐ tono ☐
2. rama ☐ rana ☐
3. mi ☐ ni ☐
4. nuevo ☐ muevo ☐
5. mata ☐ nata ☐
6. temer ☐ tener ☐

5 **Escucha y completa las palabras con *l* o *n*.**

1. __ ado / __ ado
2. ma __ o / ma __ o
3. bue __ o / vue __ o
4. ca __ a / ca __ a
5. fi __ a / fi __ a
6. ju __ io / ju __ io

6 **Escucha y escribe las palabras que oyes.**

1. ....
2. ....
3. ....
4. ....
5. ....
6. ....
7. ....
8. ....

TRABALENGUAS

7 **Lee este trabalenguas.**

¿Por qué a la cama se la llama *cama* y a la cómoda se la llama *cómoda*, siendo más cómoda la cama que la cómoda, y la cómoda menos cómoda que la cama?

8 **Escucha y completa el trabalenguas.**

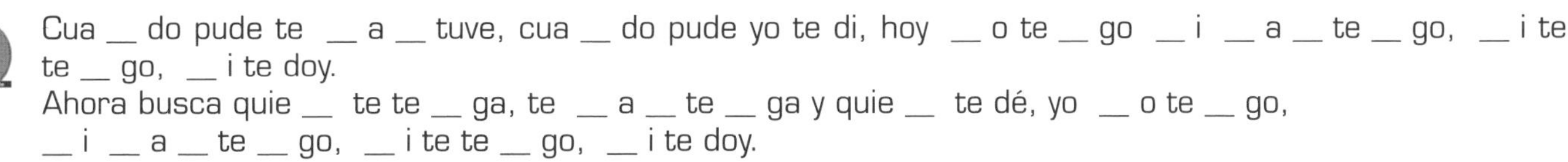

Cua __ do pude te __ a __ tuve, cua __ do pude yo te di, hoy __ o te __ go __ i __ a __ te __ go, __ i te te __ go, __ i te doy.
Ahora busca quie __ te te __ ga, te __ a __ te __ ga y quie __ te dé, yo __ o te __ go, __ i __ a __ te __ go, __ i te te __ go, __ i te doy.

Léxico

LOS ESTUDIOS Y LAS PROFESIONES

1 **a. Escribe el género contrario de estas profesiones y los estudios que les corresponden.**

	profesión	estudios
1. Electricista	....	....
2. Farmacéutico	....	....
3. Veterinario	....	....
4. Arquitecta	....	....
5. Informático	....	....
6. Mecánica	....	....
7. Jardinero	....	....
8. Peluquera	....	....
9. Filólogo	....	....
10. Fontanera	....	....
11. Periodista	....	....
12. Carpintero	....	....

b. Clasifica los estudios anteriores en universitarios y no universitarios.

EL MUNDO DE LOS ESTUDIOS

2 **Completa las frases con estos verbos en pretérito perfecto simple.**

• tomar • enseñar • suspender • aprobar • memorizar • cometer
• hacer (3) • graduarse • dar • poner • pagar • repasar

1. La semana pasada .... un examen y lo ...., pero mi compañero Roberto lo .... muchos errores porque no .... bien los datos importantes.
2. El año pasado mi mejor amigo y yo .... en Veterinaria.
3. Ayer (tú) .... la matrícula del curso.
4. El verano pasado mi hermano .... prácticas en una empresa. Yo .... un curso de inglés. En clase .... muchos apuntes y .... reglas de gramática y de pronunciación.
5. El profesor que me .... clase era muy simpático y me .... buenas notas en los exámenes. También me .... muchas cosas sobre la cultura hispana.

LAS SECCIONES DE UN CURRÍCULUM

3 Completa tu currículum.

CURRÍCULUM VÍTAE

DATOS PERSONALES
Nombre y apellidos ....
Fecha y lugar de nacimiento ....
Dirección ....
Población y C. P. ....
Teléfonos ....
Correo electrónico ....

FORMACIÓN ACADÉMICA (indica fecha, nombre del centro, etc.)
....
....

FORMACIÓN COMPLEMENTARIA (indica fecha, nombre del curso, duración, lugar, etc.)
....
....

EXPERIENCIA LABORAL (indica fechas, lugares, y responsabilidades)
....
....

IDIOMAS (indica nivel escrito y hablado)
- Inglés ....
- Francés ....
- Alemán ....
- Otros ....

INFORMÁTICA
Nivel básico ☐ Nivel usuario ☐ Nivel avanzado ☐

LAS ETAPAS DE LA VIDA

4 ¿Qué etapa de la vida representan estas imágenes? Escribe el infinitivo.

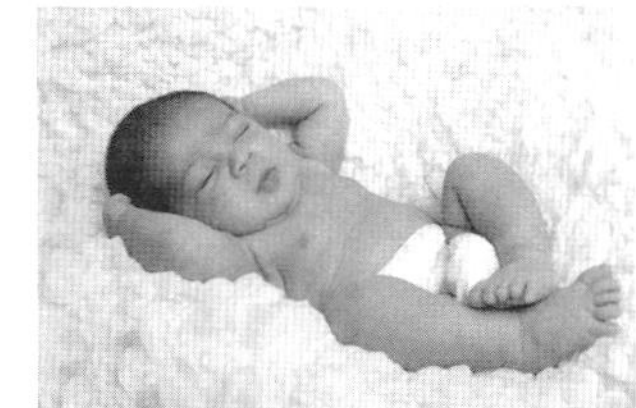

1. ....

2. ....

3. ....

4. ....

5. ....

6. ....

7. ....

8. ....

Gramática y Funciones

EL PRETÉRITO PERFECTO SIMPLE DE LOS VERBOS REGULARES E IRREGULARES

1 **Escribe el pretérito perfecto simple de estos verbos.**

1. empezar, yo ....
2. hacer, nosotros ....
3. poner, él ....
4. ser, ellos ....
5. ir, yo ....
6. leer, usted ....
7. hacer, tú ....
8. leer, yo ....
9. poner, ellos ....
10. empezar, nosotros ....
11. estar, ella ....
12. leer, tú ....
13. estar, yo ....
14. tener, ellos ....
15. ser, vosotros ....
16. hacer, ella ....
17. dar, usted ....
18. tener, vosotros ....

2 **Completa con la profesión correcta y el verbo en pretérito perfecto simple.**

1. El .... (hacer) .... diferentes muebles de diseño.
2. El .... (informar) .... sobre la actualidad e (hacer) .... entrevistas.
3. Los .... (reparar) .... los coches.
4. La .... (vender) .... medicinas.
5. El .... (cuidar) .... el parque, el jardín, etc.
6. Las .... (estudiar) .... las lenguas.
7. El .... (crear) .... programas para el ordenador.
8. Los .... (cuidar) .... a los animales.
9. El .... (reparar) .... el problema de la luz.
10. Los .... (instalar y reparar) .... los problemas en la cocina y el baño.

3 **a. Lee este correo electrónico y complétalo con los verbos en pretérito perfecto simple.**

De: ropri@gmail.com
Para: montal@hotmail.com
Asunto: hola

Hola, Montse:

¿Qué tal estás? Yo muy bien, ya estoy de vacaciones después de un curso largo. Hace seis meses (matricularse) .... en un curso de japonés donde (aprender) .... mucho sobre la cultura japonesa, su comida y un poco su lengua. También (hacer) .... prácticas de administrativo en una empresa. El jefe nos (poner) .... un horario muy estricto, pero gracias a las prácticas (aprobar) .... el examen y el profesor me (poner) .... muy buena nota. Hace tres semanas (graduarse) .... y mis compañeros de curso y yo (hacer) .... una cena para celebrarlo.
La semana pasada (ir, nosotros) .... a la playa y (estar, nosotros) .... en un hotel fantástico frente al mar.
¿Y tú? ¿Qué (hacer) .... el curso pasado? ¿(Trabajar) .... o (estudiar) ....?

Besos,
Rocío

b. Di si estas afirmaciones son verdaderas o falsas.

a. El correo es para informar de las vacaciones de Rocío.	V	F
b. Rocío solo estudió japonés.	V	F
c. La cena fue con sus compañeros de trabajo.	V	F
d. Se alojaron en un hotel cerca de la playa.	V	F
e. Rocío suspendió el examen.	V	F

4 **Completa las frases con uno de los verbos del cuadro en pretérito perfecto simple.**

• poner • empezar • leer • estar • hacer
• acostarse • llamar • llegar • ir

1. ¿A qué hora (vosotros) .... anoche?
2. El semestre pasado Luis .... cuatro novelas para su clase de Literatura.
3. El viernes pasado (ellos) .... a cenar al mejor restaurante de la ciudad.
4. ¿Dónde (tú) .... hace tres días?
5. (Yo) .... a trabajar a los 20 años.
6. El fin de semana mis amigos y yo .... muchas actividades al aire libre.
7. Ayer, (yo) .... muy tarde a casa y por eso no te ....
8. No encuentro las llaves de casa porque no sé dónde (yo) las .... ayer.

LAS EXPRESIONES DE TIEMPO

5 **Escribe frases completas con esta información.**

- Ayer
- El otro día
- Hace dos semanas
- El mes pasado
- A los 15 años
- En 2010
- En enero

- estar
- ir
- tener
- matricularse
- graduarse
- hacer
- leer

1. (yo) ....
2. (vosotros) ....
3. (ustedes) ....
4. Mi amigo y yo ....
5. (tú) ....
6. (ella) ....
7. (nosotros) ....

RELACIONAR ACONTECIMIENTOS DEL PASADO

6 **Escribe la biografía de esta persona. Usa las expresiones temporales del recuadro.**

• al año siguiente • en ese mismo mes/año • una semana después
• a los dos años • tres años después • un año más tarde

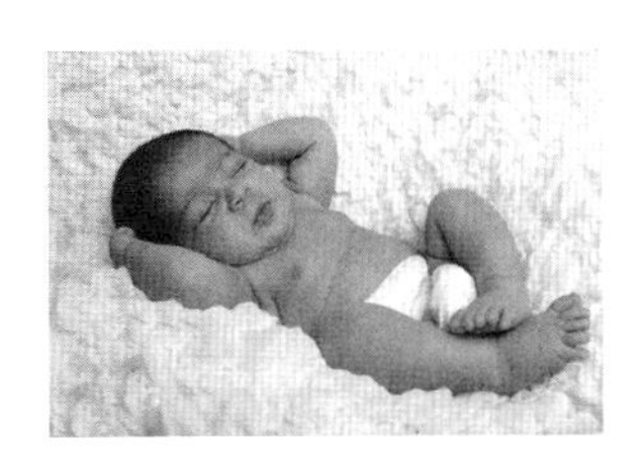

....
....
....
....

LOS PRONOMBRES DE OBJETO DIRECTO

7 **¿A qué se refieren los pronombres? Relaciona la frase con su complemento.**

1. Las repasamos antes del examen.
2. Lo aprendí en Francia.
3. Los aprobamos todos.
4. La pagué ayer.
5. Lo explicó la profesora.
6. Las hicimos en una gran empresa.

a. programa
b. matrícula
c. prácticas
d. lecciones
e. exámenes
f. francés

1.	
2.	
3.	
4.	
5.	
6.	

8 **Lee las frases y haz preguntas como en el modelo.**

1. El verano pasado hice un curso de italiano. ¿*Y tú, lo hiciste?*
2. Aprobé todos los exámenes. ....
3. Tomaron apuntes en clase. ....
4. La semana pasada no hicieron prácticas. ....
5. No tuvo ningún error en el examen. ....
6. Ayer repasamos las lecciones. ....

LOS PRONOMBRES DE OBJETO INDIRECTO

9 **Selecciona el pronombre de OI adecuado.**

1. Ayer *le/te* envié el currículum al director.
2. La semana pasada *les/le* di clase a tus estudiantes.
3. ¿Recordáis que hace dos años *os/te* preparé una gran fiesta?
4. A José y a mí *les/nos* enseñaron los lugares turísticos de Madrid.
5. ● Juan, ¿*te/le* hicieron ayer la entrevista de trabajo?
   ○ No, hoy *me/le* hacen la entrevista.
6. ¿Quién *te/le* envió a usted los informes?

10 **Contesta las preguntas sustituyendo las palabras en cursiva por un pronombre de OI.**

1. ¿Escribiste *a tus profesores*? Sí, ...
2. ¿Enviaron ustedes el informe *al director*? No, no ....
3. ¿Ofrecen formación *a los trabajadores*? Sí, ...
4. ¿Dan posibilidades de promoción *a Juan*? Sí, ...
5. ¿El director ofrece un buen trabajo *a los empleados*? Sí, ...
6. ¿Diste tus datos personales *a la secretaria*? No, no ....

11 **Completa estos mensajes para Ricardo con el pronombre de OI adecuado.**

Ricardo, (a ti) .... recuerdo que tienes que enviar tus datos personales al Departamento de Recursos Humanos, si no puedes, ... das los datos a mí y yo (a ellos) .... paso la información. A mis jefes .... gusta tu perfil laboral. Besos. Rosa.

Ricardo, buenas noticias, hace un mes (a mí) .... dieron un curso de formación y ayer mi jefe .... dijo a mi compañera y a mí que tenemos otro puesto. (A ti) .... quiero dar las gracias por toda tu ayuda. Besos. Elena.

COMPRENDER ANUNCIOS DE OFERTAS DE TRABAJO

12 Completa los anuncios de prensa con las expresiones adecuadas.

Clínica veterinaria

....
2 veterinarios
Requerimos:
Graduado en Veterinaria.
.... 2 años.
..............................:
.... a convenir.
.... inmediata.

Enviar CV a clinicanimal@guau.es

Empresa de reparaciones

....
2 fontaneros
..........................:
.... mínima de 2 años en puesto similar.
Persona ....

............................:
.... base.
Cursos de ....

Enviar CV a reparaciones@agualuz.es

....
1 farmacéutico
...................:
Titulación superior en Farmacia
Experiencia ....
1 año en farmacia.
Persona .... y ....
Se ofrece:
Incorporación ....
Sueldo ....

Enviar carta de solicitud y CV a cruzverde@farmacia.es

ESCRIBIR UNA CARTA DE SOLICITUD DE EMPLEO

13 Elige una de las ofertas del ejercicio anterior y escribe una carta para solicitar el empleo.

Recuerda incluir: remitente, destinatario, fecha, saludo, referencia al anuncio, experiencia y formación, mencionar el CV, solicitar entrevista, despedida, firma.

FICHA DE APRENDIZAJE

AHORA YA SABES

Hablar de experiencias pasadas
- *El año pasado me gradué en Arquitectura.*

Hablar de la vida de una persona
- *Nació en 1958.*

Relacionar acontecimientos del pasado
- *Nos casamos en 2005 y dos años después tuvimos un hijo.*

Comprender ofertas de trabajo
- *Se requiere titulado superior.*
- *Se necesita/busca camarero.*
- *Se ofrece salario base.*

AHORA YA CONOCES

Los estudios y las profesiones
- *Electricidad: el/la electricista, Farmacia: el/la farmacéutico/a, Veterinaria: el/la veterinario/a, Arquitectura: el/la arquitecto/a, Informática: el/la informático/a, Mecánica: el/la mecánico/a, Periodismo: el/la periodista, Fontanería: el/la fontanero/a, Jardinería: el/la jardinero/a, Filología: el/la filóloga/a, Carpintería: el/la carpintero/a, Peluquería: el/la peluquero/a.*

El mundo de los estudios
- *tomar apuntes, enseñar, suspender/aprobar un examen, memorizar una regla, cometer un error, hacer fotocopias/prácticas, graduarse, dar clases, hacer/aprobar un curso, poner las notas, pagar la matrícula, repasar una lección.*

Las secciones de un currículum
- *los datos personales, la formación académica, la experiencia profesional, los idiomas, los conocimientos en informática, la formación complementaria.*

Las etapas de la vida
- *nacer, estudiar, casarse (con), tener hijos, trabajar (en), vivir (en), sacarse el carné de conducir, matricularse (en), conocer (a), ir de viaje, regresar (a), irse a vivir (con/a), trasladarse (a), jubilarse, morir.*

Las expresiones de tiempo
- *el otro día, ayer, anteayer, anoche, hace cinco años/tres meses/una semana/dos días, el siglo/año/mes/lunes pasado, en 2009/Navidad/mayo/primavera, en aquella época, a principios de año, a los 20 años, al año siguiente, tres años después, ese mismo mes/año, a los dos años.*

Los anuncios de oferta de empleo
- *la incorporación inmediata, el dominio de idiomas, el sueldo a convenir, la experiencia mínima, los cursos de formación, las posibilidades de promoción, el salario base, la formación a cargo de la empresa, la titulación superior, las ofertas de empleo/trabajo.*
- *Enviar el CV, se requiere, requerimos, se ofrece, ofrecemos, (se) necesita, necesitamos, (se) busca, buscamos.*

Los saludos y las despedidas (en cartas)
- *Estimado/a Sr./a, atentamente, saludos cordiales, lo/la saluda atentamente.*

Las secciones de una carta de solicitud de empleo
- *el remitente, el destinatario, la fecha, el saludo, la referencia al anuncio, la experiencia y la formación, mencionar el currículum, solicitar entrevista, la despedida, la firma.*

Fonética y Ortografía

El sonido [ɲ] y su grafía: *ñ*

La letra *ñ* (eñe) se pronuncia [ɲ]: *añadir, niño, bañador.*

1 Escucha y repite.

1. pequeña
2. año
3. señor
4. cabaña
5. extraño
6. montaña
7. compañero
8. España
9. bañera
10. diseño

2 Marca la palabra que escuchas.

1.	2.	3.	4.	5.	6.
cama ☐	dama ☐	mono ☐	pena ☐	una ☐	rima ☐
caña ☐	daña ☐	moño ☐	peña ☐	uña ☐	riña ☐

3 Esucha y completa con *n* o *ñ*.

1.	2.	3.	4.	5.	6.
e __ e	pe __ a	sue __ a	mo __ o	ma __ o	ca __ a
e __ e	pe __ a	sue __ a	mo __ o	ma __ o	ca __ a

4 Escucha y completa las palabras con *m*, *n* y *ñ*.

1. __ a __ a __ a
2. __ ovie __ bre
3. vera __ o
4. ho __ dure __ a
5. __ aci __ ie __ to
6. __ ú __ ez
7. e __ fer __ era
8. __ o __ u __ e __ to
9. pa __ a __ e __ o
10. __ ore __ o
11. __ o __ o
12. ca __ pa __ a

5 Dictado. Escribe lo que oyes.

1. ....
2. ....
3. ....
4. ....
5. ....
6. ....
7. ....
8. ....
9. ....
10. ....

TRABALENGUAS

6 Lee estos trabalenguas.

1. Mariana Magaña desenmaraña mañana
   la maraña que enmarañará Marina Mañara.
   ¿Desenmañará mañana Mariana Magaña la enmarañada
   maraña que enmarañó Marina Mañara?

2. En este año el niño Núñez engañó
   al ñoño con la piraña de antaño cuando el ñáñigo
   Coruña encañonando el rebaño en la cañada, con saña,
   lo enseñaba a cortar caña.

Léxico

LOS OBJETOS Y DOCUMENTOS RELACIONADOS CON LOS VIAJES

1 **Escribe la palabra adecuada y relaciónala con su definición.**

1. El a		a. entrar en un país.
2. Las g................		b. llevar libros, comida, ropa, etc.
3. El m		c. dar aire.
4. La g		d. proteger los ojos del sol.
5. La t.................		e. secarse.
6. El p		f. pagar.
7. La c	sirve/n	g. hacer fotos.
8. La g		h. hablar con la gente.
9. El m	para	i. proteger la piel del sol.
10. La t................		j. poner la ropa de viaje.
11. La m		k. ver información de un lugar.
12. El p		l. ver las calles de una ciudad.
13. La m		m. proteger la cabeza del sol.

1.	
2.	
3.	
4.	
5.	
6.	
7.	
8.	
9.	
10.	
11.	
12.	
13.	

2 **Elige dos de estos documentos y explica para qué sirven.**

1. ....
2. ....

LOS TIPOS DE ALOJAMIENTOS

3 **Ordena las letras y escribe el nombre de estos alojamientos.**

1. ñabcaa ....
2. lteho ....
3. uegrlabe ....
4. stoahl ....
5. rraaodp ....
6. gpcmain ....

LAS INSTALACIONES Y SERVICIOS DE LOS ALOJAMIENTOS

4 **Completa las frases con una palabra del recuadro.**

• calefacción • aire acondicionado • peluquería • lectura • piscina • teléfono • ascensor • aparcamiento • televisión • baño • cocina equipada

1. El hotel tiene cuatro plantas, pero hay dos .... No necesitas subir andando.
2. Puedes comer y cenar en las cabañas porque tienen ....
3. En el albergue no hace frío porque hay una buena ....
4. En este hostal no te peinan porque no hay servicio de ....
5. En el albergue no te aburres, tienen .... y sala de ....
6. En el hostal el .... está en el dormitorio, no necesitas compartirlo.
7. En las cabañas nadie te molesta, no hay ....
8. En el hotel hay .... privado para los clientes.
9. Cerca del *camping* hay dos ...., una para adultos y otra para los niños.
10. En el hotel hace calor porque el .... no funciona.

5 **Observa las fotos y describe los servicios e instalaciones que tienen estos alojamientos y su localización.**

Hotel Embarque

Albergue L11

Cabañas Aspe

1. El hotel ....
....
....
....
2. Las cabañas ....
....
....
....
3. El albergue ....
....
....
....

Recuerda, para describir un alojamiento:
- se encuentra en
- dispone de
- cuenta con
- está en
- está situado
- hay
- tiene

Gramática y Funciones

EL PRETÉRITO PERFECTO SIMPLE DE LOS VERBOS IRREGULARES

1 **Escribe el pretérito perfecto simple de estos verbos.**

1. ver, tú ....
2. dormir, yo ....
3. andar, ellas ....
4. ver, vosotros ....
5. andar, él ....
6. dormir, vosotros ....
7. ver, nosotros ....
8. dormir, tú ....
9. ver, yo ....
10. dormir, él ....
11. andar, tú ....
12. andar, vosotros ....
13. dormir, ellos ....
14. andar, yo ....
15. ver, ustedes ....

LAS EXPRESIONES DE TIEMPO

2 **Completa las frases con *desde que, desde hace* o *hace... que.***

1. .... tres meses .... estuve en Argentina.
2. .... llegué a España solo hablo español.
3. .... volvisteis de la playa no habéis comido.
4. .... dos años .... me regalaron el portátil.
5. No vamos de viaje .... un año.
6. .... una semana .... tengo el carné de conducir.
7. .... tenemos pasaporte visitamos Asia.
8. La habitación está reservada .... dos semanas.

LAS PREPOSICIONES *DESDE* Y *HASTA*

3 **Completa con *desde* o *hasta* y los verbos en pretérito perfecto simple.**

Cantabria, 23-08-11

Hola, Adriana:
El mes pasado (hacer, yo) .... un viaje por Europa, ... el 1 de junio .... el 15. ¡(Ser) .... fantástico!, (conocer, yo) .... mucha gente interesante, y (ver) .... catedrales, castillos, puentes, etc. (Viajar) .... con una amiga, las dos (pasarlo) .... fenomenal .... el primer día del viaje .... el último. .... España (ir, nosotras) .... en avión .... París y .... allí (recorrer) .... Europa en tren. (Hacer, nosotras) .... fotos de los lugares más interesantes de Francia, Alemania, Bélgica y Holanda. Ahora te escribo .... mi pueblo en la montaña, voy a quedarme aquí .... el 30 de agosto.

Un beso,
Paula

....
....
....
....

VALORAR EXPERIENCIAS

4 **Valora cuatro experiencias personales en pretérito perfecto simple. Usa estos adjetivos.**

• fenomenal • inolvidable • horrible • aburrido • maravilloso • estupendo

1. ....
2. ....
3. ....
4. ....

EXPRESAR CONDICIÓN CON *SI*

5 **Completa las frases con la información del cuadro y pon el verbo en la persona adecuada.**

• viajar a otros países	• no ponerse protector solar	• hacer mucho calor	• tener tiempo
• el hotel no tener piscina	• llevar el portátil	• tener vacaciones	• ir de viaje

1. Si ...., vamos a la playa.
2. Si ...., te alojas en un hotel.
3. Si ...., os quemáis.
4. Si ...., te escribimos correos electrónicos.
5. Si ...., nos aburrimos.
6. Si ...., veo a mis amigos.
7. Si ...., se pone las gafas de sol.
8. Si ...., necesitan el pasaporte.

EL PRET. PERFECTO COMPUESTO. PARTICIPIOS REGULARES E IRREGULARES

6 **Escribe el participio de estos verbos.**

1. viajar ....
2. dormir ....
3. ver ....
4. andar ....
5. vivir ....
6. hacer ....
7. decir ....
8. escribir ....
9. ser ....
10. volver ....
11. reservar ....
12. poner ....
13. estar ....
14. abrir ....
15. romper ....

7 **a. Completa lo que dicen estos bloggeros en pretérito perfecto compuesto.**

Compartir Informar sobre mal uso Siguiente blog» Crear un blog Acceder

BLOG DE VIAJES

Rubén: Este verano lo (pasar) .... con mis amigos recorriendo España, (hacer, nosotros) .... una ruta gastronómica, yo (probar) .... comida de diferentes lugares del norte, del sur y de la zona del Mediterráneo. En Valencia (bañarse, nosotros) .... en su gran playa. Este verano (ser) .... fantástico.

Estela: (Pasar) .... dos semanas de julio con mi familia en la costa. (Pasear, nosotros) .... por la playa, (tomar) .... el sol, mis hermanos (jugar) .... con las olas del mar. Después, en agosto, (hacer, yo) .... una ruta con mis amigas, (ver) .... diferentes países de América del Sur y (sacar) .... fotos a los monumentos más turísticos como la catedral de Bogotá, o la ciudad de Machu Picchu en Perú. Me (gustar) .... mucho este verano.

José y Clara: En septiembre (ir) .... con una agencia de deportes de aventura. (Practicar) .... submarinismo, senderismo y escalada y (volver) .... a casa muy contentos, pero muy cansados. Nuestros padres (decidir) .... hacer algo más tranquilo, (ir) .... a Canarias y en el hotel los animadores les (enseñar) .... a bailar salsa y (divertirse) .... mucho.
José y yo (abrir) .... un blog con fotos de nuestros viajes, si quieres, puedes verlo en *www.nuestrosviajes.com/blogJoyCla*.

Tú: ....
....
....

b. Completa el blog con lo que has hecho tú este año.

c. Completa la tabla según el texto anterior.

¿Quién?	¿Cuándo han viajado?	¿Con quién han ido?	¿Qué han hecho?
Rubén			
Estela			
José y Clara			
Tú			

LAS EXPRESIONES DE TIEMPO: *HOY, ESTA SEMANA, ESTE MES*

8 Escribe frases completas con esta información.

1. Hoy	• estar, tú	1. ....
2. Esta mañana	• hacer, yo	2. ....
3. Esta semana	• volver, tú y yo	3. ....
4. Este mes	• escribir, vosotros	4. ....
5. Este año	• viajar, él	5. ....
6. Hace cinco minutos	• ver, ustedes	6. ....
7. Hace un rato	• ir, ellos	7. ....

LOS ADVERBIOS DE FRECUENCIA

9 Marca con qué frecuencia has hecho estas cosas y escribe las frases en pretérito perfecto compuesto.

	muchas veces	varias veces	a veces	alguna vez	nunca
dormir en un *camping*	☐	☐	☐	☐	☐
conducir sin carné	☐	☐	☐	☐	☐
reservar una habitación por teléfono	☐	☐	☐	☐	☐
pagar con tarjeta de crédito	☐	☐	☐	☐	☐
usar el portátil	☐	☐	☐	☐	☐
visitar España	☐	☐	☐	☐	☐
hacer una entrevista de trabajo	☐	☐	☐	☐	☐

1. ....
2. ....
3. ....
4. ....
5. ....
6. ....
7. ....

HACER UNA RESERVA Y CONFIRMARLA

10 **Lee las frases y ordena el diálogo.**

- ☐ Para el 17 de junio.
- ☐ ¿Cuántas noches?
- ☐ Sí, 677 90 80 70.
- ☐ ¿Para cuándo quiere la habitación?
- 1. Hotel Embarque. Buenas tardes.
- ☐ Muy bien, ya está reservada.
- ☐ Muchas gracias.
- ☐ Tres noches. Del 17 al 20.
- ☐ Muy bien, quiero una habitación con desayuno incluido.
- ☐ Una habitación doble. ¿Qué precio tienen?
- ☐ ¿A nombre de quién hago la reserva?
- ☐ Buenas tardes, quiero reservar una habitación.
- ☐ ¿Puede darme un teléfono de contacto?
- ☐ La habitación doble cuesta 60 € y con desayuno incluido, 65 €.
- ☐ De Lucía Cuenca Rodríguez.
- ☐ Muchas gracias y buenas tardes.
- ☐ ¿Qué tipo de habitación quiere?

LOS ADVERBIOS DE TIEMPO: *YA, TODAVÍA*

11 **Escribe la pregunta como en el ejemplo y di si ya han hecho o todavía no estas acciones.**

1. Visitar España (ella).
   ¿......*Ha visitado España*......? • Sí, ...
2. Alojarse en un albergue (vosotros).
   ¿..............................? • No, ...
3. Estar de vacaciones en un *camping* (ellos).
   ¿..............................? • Sí, ...
4. Esquiar en verano (ustedes).
   ¿..............................? • No, ...

12 **Escribe una lista con 5 cosas que has hecho este mes y 5 cosas que todavía no has hecho.**

LOS PRONOMBRES DE OBJETO DIRECTO Y OBJETO INDIRECTO

13 **Lee las frases, relaciona las columnas y selecciona la opción correcta.**

1. ¿Has hecho la reserva a mi hermano?
2. ¿Has entregado el pasaporte al policía?
3. ¿Has hecho un seguro médico?
4. ¿Tenéis preparados los pasaportes?
5. ¿Tienen ustedes tarjeta sanitaria?
6. ¿Podemos llevar animales al hotel?

a. Sí, *lo/la* tenemos.
b. No, no *los/les* tenemos preparados.
c. Sí, *lo/le* he hecho.
d. No, no *me lo/se lo* he entregado.
e. No, no *les/los* pueden llevar.
f. Sí, ya *le la/se la* he hecho.

FICHA DE APRENDIZAJE

AHORA YA SABES

Expresar delimitación temporal
- *Desde el viernes estoy aquí.*
- *Desde que lo vi, me gustó.*
- *Estoy aquí desde hace cinco días.*
- *Hace una semana que llegué.*
- *Dormí hasta el domingo.*

Expresar delimitación espacial
- *Fuimos desde San Sebastián hasta Santander.*

Valorar experiencias
- *¿Qué tal el viaje?*
- *Fue un viaje perfecto.*
- *Fue maravilloso.*
- *Estuvo (muy, bastante) bien/mal/regular.*
- *Lo pasé fenomenal.*
- *Me gustó mucho.*

Expresar condición
- *Si viajas a España, necesitas el pasaporte.*

Localizar y describir un alojamiento
- *Se encuentra en el centro.*
- *Se encuentra a dos minutos de aquí.*
- *Está situado/ubicado en una pequeña ciudad.*
- *¿El hotel tiene aparcamiento?*
- *¿En el hotel hay piscina?*
- *Dispone de servicio de habitaciones.*
- *Cuenta con conexión a Internet.*

Contar acontecimientos pasados en un tiempo no terminado
- *Este año hemos ido a Santiago de Compostela.*

Hablar de experiencias pasadas sin especificar cuándo se realizaron
- *¿Alguna vez has visitado México?*

Expresar frecuencia
- *Nunca he estado en un albergue.*
- *He visitado Ibiza varias veces.*

Hacer una reserva y confirmarla
- *Quiero reservar una habitación.*
- *¿Tiene habitaciones libres?*
- *Le confirmo la reserva.*
- *Ya he confirmado la reserva.*

Ofrecer ayuda
- *¿Puedo ayudarlo?*
- *¿En qué puedo ayudarlo?*

Expresar acción realizada/no realizada
- *Ya he hecho la reserva.*
- *Todavía no he hecho la reserva.*

AHORA YA CONOCES

Los objetos y documentos relacionados con los viajes
- *las gafas de sol, el móvil, la gorra, las tarjetas de crédito, el secador, el plano, la guía, la cámara de fotos, el protector solar, el portátil, la mochila, la maleta, la toalla, el abanico, el pasaporte, el visado, el DNI, el carné de conducir, la tarjeta sanitaria, el seguro de viaje.*

Los tipos de alojamientos
- *el albergue, la cabaña, el* camping, *el hotel, el hostal, el parador.*

Las instalaciones y servicios de los alojamientos
- *el acceso para minusválidos, la peluquería, la conexión a Internet, el aparcamiento, el teléfono, la piscina, el ascensor, el servicio de habitaciones, admite perros, admite tarjetas de crédito, la televisión, la calefacción, la cocina equipada, la sala de lectura.*

Expresiones temporales con pretérito perfecto compuesto
- *hoy, esta mañana/semana. Hace un rato/cinco minutos. Este mes/año.*

Expresiones para expresar frecuencia
- *muchas veces, varias veces, a veces, alguna vez, nunca.*

Fonética y Ortografía

El sonido [t] y su grafía: *t*

La letra *t* (te) se pronuncia [t]:
- Al inicio de sílaba y palabra: *televisión, maleta, contento.*
- Al final de sílaba y palabra: *ritmo, robot.*
- En grupo consonántico *tr*: *tren, tranquilo.*

El sonido [d] y su grafía: *d*

La letra *d* (de) se pronuncia [d]:
- Al inicio de sílaba y palabra: *visado, dinero.*
- Al final de sílaba y palabra: *admitir, libertad.*
- En grupo consonántico *dr*: *madre.*

1 Escucha y repite estas palabras con *t*.

1. maleta	3. taquilla	5. plato	7. trabajo	9. trescientos	11. cuarto
2. cinturón	4. letra	6. ritmo	8. trío	10. atlas	12. teatro

2 Escucha y repite estas palabras con *d*.

1. dedo	3. décimo	5. Díaz	7. ciudad	9. Madrid	11. moda
2. admite	4. padre	6. crédito	8. abridla	10. mercado	12. secador

3 Escucha y repite la *t* y la *d* al final de palabra.

1. debut	3. robot	5. pared	7. libertad	9. ciudad
2. verdad	4. complot	6. argot	8. juventud	10. vid

4 Marca la palabra que escuchas.

1. moto ☐	2. tía ☐	3. dato ☐	4. nata ☐	5. dos ☐	6. soldado ☐
modo ☐	día ☐	dado ☐	nada ☐	tos ☐	soltado ☐

5 Escucha y completa estas palabras con *tr* o *dr*.

1. __ ineo	3. __ agón	5. __ abajar	7. __ en	9. __ onco
2. __ ucha	4. pie __ a	6. cua __ o	8. cua __ o	10. __ enaje

TRABALENGUAS

6 Lee estos trabalenguas.

1. Juan tuvo un tubo y el tubo que tuvo se le rompió; para recuperar el tubo que tuvo, tuvo que comprar un tubo igual al tubo que tuvo.

2. Treinta y tres tramos de troncos trozaron tres tristes trozadores de troncos y triplicaron su trabajo, triplicando su trabajo de trozar troncos y troncos.

3. Dicen que dan doce docenas de dulces donde dar debieran diez discos dorados. Si donde debieran dar discos dorados, dan dulces o donas, las dudas duplican por dones mal dados.

4. El cielo está enladrillado, quién lo desenladrillará, el desenladrillador que lo desenladrille, buen desenladrillador será.

Lección 7: De compras
Lección 8: Las tiendas

Léxico

LAS SECCIONES DE UN CENTRO COMERCIAL

1 **Escribe qué se puede comprar o hacer en estas secciones de un centro comercial.**

1. decoración ....
2. agencia de viajes ....
3. librería ....
4. juguetería ....
5. atención al cliente ....
6. fotografía ....
7. papelería ....
8. electrodomésticos ....
9. moda para el hogar ....
10. premamá ....
11. perfumería ....
12. moda infantil ....

2 **Lee las definiciones y completa el crucigrama con las secciones de un centro comercial.**

1. Puedes comprar un móvil.
2. Donde venden zapatos.
3. Se puede comprar un ordenador.
4. Aquí venden pendientes.
5. Puedes tomar algo.
6. Lugar para peinarse.
7. Puedes comprar productos para la cara.

LAS PRENDAS DE ROPA, ZAPATOS Y COMPLEMENTOS

3 **Busca ocho palabras relacionadas con el vestir y clasifícalas en la tabla.**

S A N D A L I A S B
Y U T R S Ñ F U B O
E C A Z A D O R A T
S Ñ P G O J L R F A
R E A S U O G H L S
E B L U S A D B M D
J O Y S E W N P U I
B T E N D A S T E C
M B M O S O Ñ K E O
C O L L A R C D B S

Ropa	Zapatos	Complementos

LAS TALLAS, LOS TEJIDOS Y LOS ESTILOS

4 Completa las etiquetas y describe estos artículos.

Talla:
Material:
Estilo:

Talla:
Material:
Estilo:

Talla:
Material:
Estilo:

Talla:
Material:
Estilo:

1. El pantalón es ....
2. ....
3. ....
4. ....

LAS TIENDAS Y ESTABLECIMIENTOS

5 ¿Qué tipo de establecimiento es? Marca la opción correcta.

	gran superficie	tienda tradicional	mercadillo al aire libre
1. rastro	☐	☐	☐
2. centro comercial	☐	☐	☐
3. zapatería	☐	☐	☐
4. tiangui	☐	☐	☐
5. feria	☐	☐	☐
6. relojería	☐	☐	☐
7. librería	☐	☐	☐

LOS ARTISTAS CALLEJEROS

6 Escribe el nombre de estos artistas y describe qué hace cada uno.

1. ....
2. ....
3. ....
4. ....
5. ....
6. ....
7. ....

Gramática y Funciones

LOS COMPARATIVOS REGULARES: IGUALDAD, SUPERIORIDAD E INFERIORIDAD

1 **Selecciona la opción correcta.**

1. Mi cazadora es *tan/tanta* bonita *como/que* la tuya.
2. Compramos *tantos/más* pendientes como tú.
3. Tengo *menos/tantas* corbatas que mi padre.
4. En la cafetería hay *tanta/más* gente que en el supermercado.
5. Los discos son *tan/tantos* interesantes *como/que* los libros.
6. En la librería venden *tanto/más* como en la sección de informática.
7. Aquí hay *menos/tantos* guantes que cinturones.
8. El centro comercial es *menos/tan* interesante que los mercadillos.

2 **Observa los artículos que hay en estas bolsas y escribe frases comparativas.**

1. ....
2. ....
3. ....
4. ....
5. ....
6. ....
7. ....
8. ....

EL VERBO *PREFERIR* + NOMBRE/INFINITIVO

a. Lee este texto sobre las preferencias de los españoles en la moda y subraya las frases con el verbo *preferir*.

ÉXITO EN TU PRIMERA CITA

¿Quieres impresionar en tu primera cita y todavía no sabes qué ponerte? La página *Meetic,* que te ayuda a encontrar una pareja a través de la red, ha realizado un estudio sobre amor y moda entre la población española para celebrar la Cibeles Madrid Fashion Week. Su objetivo ha sido conocer qué estilos prefieren ellos y ellas para una primera cita. Los resultados son estos:

- La mayoría de los hombres se fija en el atractivo de una mujer (45%); en segundo lugar, en el físico (29%) y en tercer lugar, en su forma de vestir (20 %), mientras que ellas se fijan en su estilo de vestir (38%), en su atractivo (35%) y finalmente en su físico (20%).
- En la primera cita el estilo clásico es el que menos gusta tanto a ellos como a ellas. Los dos grupos prefieren un estilo moderno y casual.
- Ellas prefieren llevar vestidos y faldas y ellos prefieren un buen perfume.
- Las prendas deportivas no son adecuadas.

Adaptado de un *estudio elaborado por Meetic con motivo de Cibeles Madrid Fashion Week.*

b. Reescribe el texto con tus propias palabras usando *preferir* + sustantivo/infinitivo.

Ellos prefieren una mujer atractiva. Ellas prefieren llevar vestidos.

....

....

....

c. Ahora escribe tus preferencias para la primera cita.

....

....

EL VERBO *QUEDAR* + *BIEN/MAL*

4 Reescribe las frases y explica cómo les queda la ropa a estas personas.

1. Juan/grande/pantalón. ....
2. Ana y Elisa/bien/sombreros y camisas. ....
3. Manuel/pequeña/camiseta. ....
4. Vosotros/sandalias/grandes. ....
5. Sonia/jersey/pequeño. ....

5 Completa las preguntas y contesta según tu opinión personal.

1. ¿Qué color (quedar, a ti) .... bien? ....
2. ¿Qué complementos (quedar, a ti) .... mal? ....
3. ¿Qué colores (quedar, a tu hermana) .... mal? ....
4. ¿Qué zapatos (quedar, a tu madre) .... muy bien? ....
5. ¿Qué talla de pantalón (quedar, a ti) .... perfecta? ....
6. ¿Qué estilo (quedar, a ti) .... mal? ....
7. ¿Qué tipo de camisetas (quedar, a ti) .... bien? ....
8. ¿Qué estilo (quedar, a vosotros) .... bien? ....

LOS VERBOS *GUSTAR, ENCANTAR, INTERESAR* Y *ODIAR*

6 **Completa las tablas con la información que falta.**

odiar
odio
odiamos

gustar, encantar, interesar		
me	g....................	ir al centro comercial
	en	el malabarista
	i.....................	....
nos	in	los tianguis
	g....................	....
	en	....

7 **Escribe frases completas con esta información.**

1. Gustar (yo)/payasos/mucho. ....
2. No interesar (él)/tianguis. ....
3. Encantar (tú y yo)/centro comercial. ....
4. Odiar (vosotros)/comprar/centro comercial. ....
5. No gustar (ellos)/blusas/seda. ....
6. Odiar (tú)/corbatas. ....

EL CONTRASTE PRET. PERFECTO SIMPLE/PRET. PERFECTO COMPUESTO

8 **Completa la tabla con la forma correcta de estos verbos.**

	ducharse (yo)	decir (tú)	tener (vosotros)	poner (ellos)	creer (ella)	venir (yo)
Pret. perfecto compuesto						
Pret. perfecto simple						

	pedir (usted)	ser (nosotros)	poder (él)	querer (tú)	saber (nosotros)	hacer (él)
Pret. perfecto compuesto						
Pret. perfecto simple						

9 **Completa los minidiálogos con pretérito perfecto simple o pretérito perfecto compuesto.**

1. ● ¿Alguna vez (estar, tú) .... en un centro comercial en España?
   ○ Sí, hace un año (estar, yo) .... en uno muy grande.
2. ● ¿Qué (hacer, vosotros) .... en clase esta semana?
   ○ (Leer) .... sobre los artistas callejeros y (ir) ....
   con el profesor a un mercadillo al aire libre.
3. ● ¿Dónde (ir, ustedes) .... de vacaciones el verano pasado?
   ○ (Estar) .... en México.
   ● ¿Y qué (hacer, ustedes) .... allí?
   ○ (Pasear) .... por la playa, (hacer) .... deportes de aventura y
   (visitar) .... varios tianguis donde (comprar) .... regalos para la familia.
4. Esta mañana (levantarse, yo) .... muy pronto para ir al mercadillo, pero ayer
   (levantarse) .... muy tarde.
5. ● ¿Este año (hacer, tú) .... el Camino de Santiago y el año pasado
   (ir) .... a Bolivia para hacer el Camino del Takesi?
   ○ Sí, pero todavía no (hacer, yo) .... el Camino de Santigo completo.

10 a. Relaciona la información de las dos columnas. Hay varias opciones.

1. Este año
2. En 1987
3. La semana pasada
4. ¿Alguna vez
5. Esta semana
6. Hoy
7. Hace dos meses
8. En agosto
9. Anoche
10. Todavía

a. estuvimos en un tiangui.
b. llegué muy tarde a casa.
c. has hecho yoga?
d. nació mi hermano pequeño.
e. Clara y Javier fueron a México.
f. he tenido mucho trabajo.
g. vi a Juan en el centro comercial.
h. ha venido a verme mi familia.
i. hemos visto un mercado de antigüedades.
j. no hemos ido a Perú.

1.	
2.	
3.	
4.	
5.	
6.	
7.	
8.	
9.	
10.	

b. Clasifica los marcadores temporales del ejercicio anterior.

Pretérito perfecto simple

- ....
- ....
- ....
- ....
- ....

Pretérito perfecto compuesto

- ....
- ....
- ....
- ....
- ....

11 Escribe frases completas con esta información en el tiempo verbal adecuado.

1. Esta mañana/mi familia/volver de vacaciones. ....
2. El mes pasado/tú/ir la playa. ....
3. Esta semana/mis compañeros/trabajar mucho. ....
4. Este otoño/yo/aprender inglés. ....
5. Últimamente/mis amigos/no escribir correos. ....
6. Este año/el profesor/poner buenas notas a ti. ....
7. Hace un año/mi hermano/leer cinco novelas. ....
8. En 2010/mi mejor amigo/viajar a otro país. ....

12 a. Escribe estas formas verbales en la columna correcta.

• habéis escrito • viste • vinimos • busqué • empecé • has vuelto
• hicisteis • dijeron • he abierto • has ido • traje • llegué

Pretérito perfecto simple	Pretérito perfecto compuesto

b. Con los verbos anteriores escribe frases con el marcador temporal adecuado.

Pretérito perfecto simple

1. ....
2. ....
3. ....
4. ....

Pretérito perfecto compuesto

1. ....
2. ....
3. ....
4. ....

FICHA DE APRENDIZAJE

AHORA YA SABES

Comparar

Superioridad
- *Aquí hay más personas que en la cafetería.*
- *Los libros son más interesantes que los discos.*
- *Las mujeres compran más que los hombres.*

Inferioridad
- *En el cine hay menos personas que en el teatro.*
- *Los discos son menos interesantes que los libros.*
- *Los niños compran menos que los adultos.*

Igualdad
- *Los libros son tan interesantes como los discos.*
- *Aquí hay tantas personas como allí.*
- *Las mujeres compran tanto como los hombres.*

Describir ropa
- *Los guantes son de piel.*
- *Los vaqueros son informales.*

Hablar de preferencias
- *¿Qué color prefieres/te gusta más?*
- *¿Cuál prefieres: la blusa de seda o la blusa de algodón?*
- *¿Cuál es tu prenda favorita?*
- *¿Qué tipo de ropa prefieres?*
- *¿Prefieres falda o pantalón?*
- *¿Prefieres cantar o bailar?*
- *¿Te gusta más la seda o el algodón?*
- *Prefiero un estilo informal/llevar ropa informal.*
- *Me gusta más el estilo clásico.*
- *Me gusta más la blusa que el pantalón.*
- *Me gusta más leer que escribir.*

Preguntar medidas
- *¿Qué talla usa?*
- *¿Cuál es su talla?*
- *¿Qué número usa?*
- *¿Cuál es su número?*

Valorar
- *¿Qué tal el pantalón?*
- *¿Me queda bien?*
- *(No) Le queda mal/(muy) bien/estrecho/corto/largo.*

Precisar características de una prenda
- *¿(No) la tiene un poco más estrecha?*
- *¿Tiene una talla más grande?*

Hablar de gustos e intereses
- *¿Te gusta comprar en los mercadillos?*
- *¿Te interesan las antigüedades?*
- *¿Qué te interesa de los mercadillos?*
- *¿Qué (tipo de cosas) te gusta comprar?*
- *Sí, me encanta comprar en los mercadillos.*
- *No, no me interesan mucho.*

Expresar odio/aversión
- *Odio las grandes superficies.*
- *Yo también/Yo no.*

AHORA YA CONOCES

Las secciones de un centro comercial
- *cafetería, peluquería, electrodomésticos, decoración, moda para el hogar, agencia de viajes, informática, accesorios para el automóvil, telefonía, fotografía, librería, papelería, juguetería, premamá, zapatería, complementos de moda, joyería, relojería, bisutería,* souvenirs, *parafarmacia, cosmética, perfumería, atención al cliente, lista de bodas, supermercado, productos dietéticos, aparcamiento.*

Las prendas de ropa
- *la cazadora, el jersey, las medias, el pijama, el bañador, la blusa, la camisa.*

Los zapatos y complementos
- *la corbata, las botas, las sandalias, el pañuelo, el bolso, el cinturón, las gafas de sol, el sombrero, los guantes, la bufanda, los pendientes, el reloj, el collar.*

Las tallas
- *la pequeña, la mediana, la grande.*

Los tejidos
- *la piel, el algodón, la seda, la lana, la* lycra.

Los estilos
- *serio/a, clásico/a, juvenil, elegante.*

Las tiendas y establecimientos
- *la farmacia, el rastro, el centro comercial, las grandes superficies, las tiendas tradicionales, los mercadillos al aire libre.*

Los artistas callejeros
- *el/la mimo, el/la músico, el/la pintor/-a, el/la malabarista, el/la bailarín/-a, el/la mago/a, el/la payaso/a.*

Fonética y Ortografía

El sonido [f] y su grafía: *f*

La letra *f* (efe) se pronuncia [f]: ***fotografía, gafas, cafetería, informática, ofrecer, flaco, ¡puf!***

1 Escucha y repite estas palabras con *f*.

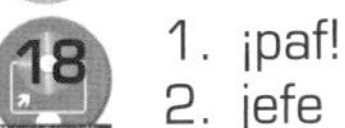

1. ¡paf!
2. jefe
3. final
4. información
5. farmacia
6. perfumería
7. enfermero
8. superficie
9. fotocopias
10. fotografía

2 Escucha y repite estas palabras con *fl*.

1. flecha
2. flor
3. flauta
4. mofletes
5. fleco
6. fluido
7. flan
8. afluente
9. pantufla
10. fluidez

3 Escucha y repite estas palabras con *fr*.

1. fresa
2. frotar
3. frigorífico
4. fraile
5. frío
6. fruta
7. fresco
8. Francia
9. frase
10. freír

4 Escucha y completa con *f, fr, fl*.

1. su __ é
2. __ ijoles
3. ga __ as
4. co __ e
5. __ an
6. __ otador
7. __ ente
8. re __ ejo
9. __ ontera
10. __ oco

5 Escucha y completa con *fr* o *fl*.

1. __ ágil
2. __ eco
3. __ acidez
4. __ utero
5. __ acaso
6. __ agancia
7. __ uvial
8. __ egadero
9. __ ora
10. __ asco

6 Dictado. Escribe lo que oyes.

1. ....
2. ....
....
3. ....
....
....

TRABALENGUAS

7 Lee estos trabalenguas.

1. La flauta toca la flaca y el flautín, el flaco Pepín.
La flaca y Pepín tocan con fluidez la flauta y el flautín.

2. En Florida, es frecuente que fructifique la floricultura y la fruticultura sea floreciente.

3. Frente a la fuente de enfrente la frente Fuensanta frunce, Fuensanta frunce la frente frente a la fuente de enfrente.
¿La frunce o finge fruncirla? ¿Fingir Fuensanta fruncir?
¡Fuensanta no finge, frunce! ¡La frente frunce Fuensanta! Frunce Fuensanta la frente frente a la fuente de enfrente.

Léxico

LAS ACTIVIDADES EN UN GIMNASIO

1 **Escribe debajo de cada imagen el nombre de la actividad.**

• yoga • aerobic • sevillanas • salsa • danza del vientre • gimnasia

1. ....
2. ....
3. ....
4. ....
5. ....
6. ....

LAS ACCIONES EN UN GIMNASIO

2 **Combina estas palabras con el verbo adecuado.**

• estiramientos • bicicleta • abdominales • piscina
• pesas • cinta • yoga • masaje • relajación

1. Levantar ....
2. Hacer ....
3. Correr (en) ....
4. Dar ....
5. Nadar (en) ....

LAS INSTALACIONES EN UN GIMNASIO

3 **Completa las frases con una palabra de la columna de la derecha.**

1. El profesor de salsa está en la clase de ....
2. Estamos haciendo bicicleta estática en la sala de ....
3. Ahora los niños están nadando en la ....
4. Nos cambiamos de ropa en el ....
5. Puedes guardar la ropa en la ....
6. En la clase de .... hacemos muchos estiramientos.

• máquinas
• baile
• pilates
• taquilla
• vestuario
• piscina

LAS ACTIVIDADES Y DEPORTES AL AIRE LIBRE

4 **a. Completa el crucigrama con la actividad o el deporte adecuado y clasifícalos en el grupo correspondiente.**

1. Subir por una roca.
2. Andar por caminos.
3. Deslizarse por la nieve con los esquíes.
4. Ir en piragua por los ríos.
5. Volar.
6. Coger peces en el agua.
7. Deslizarse por el agua sobre una tabla.

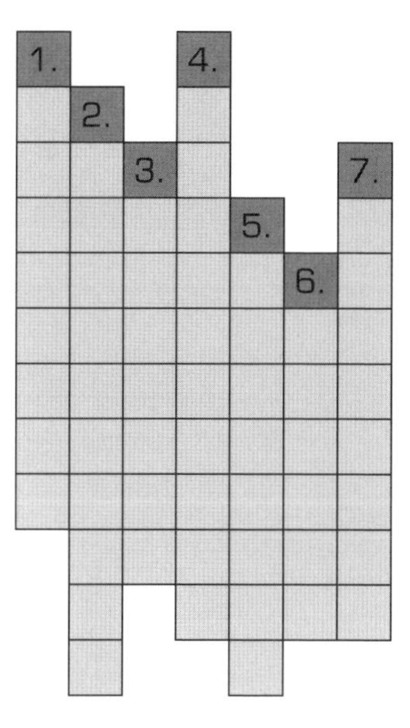

aire	agua	tierra

b. Completa lo que dice cada una de estas personas con la actividad adecuada.

c. ¿Qué deportes del apartado a. practicas o has practicado? Explica tu experiencia. Si no has practicado ninguno, ¿cuál te gustaría hacer y por qué?

....

....

5 **Relaciona cada actividad con su imagen correspondiente.**

1. vela 2. rutas a caballo 3. caza 4. rutas 4x4 5. espeleología 6. parapente

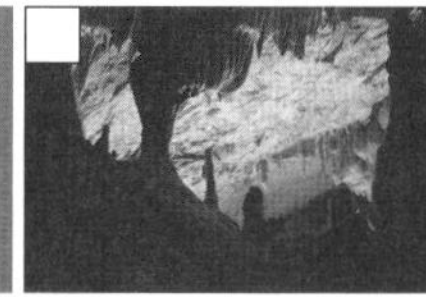

Gramática y Funciones

EL GERUNDIO DE LOS VERBOS REGULARES E IRREGULARES

1 **a. Escribe el infinitivo de estos gerundios.**

1. bailando ....
2. corriendo ....
3. haciendo ....
4. viniendo ....
5. diciendo ....
6. durmiendo ....
7. volando ....
8. pidiendo ....
9. nadando ....
10. leyendo ....
11. teniendo ....
12. subiendo ....
13. buceando ....
14. yendo ....
15. caminando ....
16. repitiendo ....
17. sirviendo ....
18. sintiendo ....

b. ¿Cuál es el gerundio de estos infinitivos?

1. despedir ....
2. vestirse ....
3. mentir ....
4. oír ....
5. morir ....
6. competir ....
7. reír ....
8. cantar ....
9. creer ....
10. despertarse ....
11. aprender ....
12. salir ....
13. practicar ....
14. volver ....
15. huir ....

EL PRESENTE CONTINUO Y LOS PRONOMBRES DE OD Y OI

2 **Completa las frases en presente continuo.**

1. ● ¿(Hacer, tú) .... abdominales?
   ○ Sí, (hacer, yo) .... abdominales, ¿y tú?
   ● Yo (levantar) .... pesas.
2. ● Hola, ¿puedo hablar con Lucía?
   ○ No, lo siento, (dormir) ....
3. ● ¿(Leer, vosotros) .... las normas del gimnasio?
   ○ Sí, y David está en recepción, (pedir, él) .... información de los horarios del gimnasio.
4. Tenemos que esperar a Ismael, ahora (ducharse) ....
5. ● Mira, el profesor de baile (enseñar) .... *hip-hop* a nuestras amigas.
   ○ Sí, y parece que a ellas les (gustar) .... mucho.
6. ● Lo siento, ahora no puedo hablar, (practicar) .... un baile nuevo.
   ○ Vale, luego te llamo.

3 **Escribe frases en presente continuo y sustituye las palabras entre paréntesis por un pronombre de OD u OI.**

1. Yo/aprender/(flamenco). *Estoy aprendiendo flamenco. Lo estoy aprendiendo.*
2. Vosotros/bailar/(tango). ....
3. El profesor/enseñar/*funky*/(a los estudiantes). ....
4. Usted/subir/(montaña). ....
5. Tú y yo/no practicar/(esquí). ....
6. Ellos/hacer/(deportes de aventura). ....
7. Los estudiantes/ver/(al profesor). ....
8. El masajista/dar/masaje/(a mí). ....

EL CONTRASTE PRESENTE/PRESENTE CONTINUO

4 **Lee las frases y selecciona la forma correcta.**

1. Ahora *hacemos/estamos haciendo* estiramientos y ellos *corren/están corriendo* en la cinta.
2. ¿Qué *lees/estás leyendo* normalmente?
3. ¿Qué *dice/está diciendo* el profesor de baile en este momento? No oigo bien.
4. El sábado los niños *nadan/están nadando* en la piscina.
5. No me gusta este profesor, siempre *repite/está repitiendo* el mismo ejercicio.
6. Ahora no puedo abrir la puerta, *me ducho/me estoy duchando*.
7. Allí está José, *pide/está pidiendo* información en la recepción del gimnasio.
8. En este momento un masajista me *da/está dando* un masaje.

LOS COMPARATIVOS IRREGULARES: *MENOR, MAYOR, MEJOR* Y *PEOR*

5 **Escribe frases comparando esta información.**

1. (bueno) salsa/flamenco. ....
2. Mi padre 40 años/yo 15 años. ....
3. (malo) sevillanas/yoga. ....
4. (malo) aerobic/capoeira. ....
5. (bueno) masajes/abdominales. ....
6. (malo) hacer bicicleta/correr en la cinta. ....
7. Los estudiantes 18 años/el profesor 35. ....
8. (bien) Mis primos hablar inglés/yo. ....

EXPRESAR ANTERIORIDAD Y POSTERIORIDAD: *ANTES/DESPUÉS DE* + NOMBRE/ INFINITIVO

6 **Escribe frases completas con estas palabras.**

1. Después/terminar/clase de yoga/estar relajadas. *Ellas* ....
2. Antes/nadar/ducharse. *Yo* ....
3. Antes/correr/hacer estiramientos. *Tú* ....
4. Después/clase de aerobic/hacer relajación. *Vosotros* ....
5. Después/abdominales/levantar pesas. *Nosotros* ....
6. Antes/relajación/hacer abdominales. *Él* ....
7. Después/bailar/descansar. *Ellos* ....
8. Antes/hacer yoga/nadar en la piscina. *Vosotros* ....

EXPRESAR NECESIDAD: *ES NECESARIO* + INFINITIVO

7 **Escribe qué es necesario hacer...**

1. Para ir a un gimnasio. ....
2. Después de la clase de yoga. ....
3. Antes de la clase de natación. ....
4. Para esquiar. ....
5. Después de correr en la cinta. ....
6. Para hacer submarinismo. ....
7. Después de la caminata. ....
8. Para viajar al extranjero. ....

EL PRETÉRITO IMPERFECTO Y LAS EXPRESIONES TEMPORALES

8 **Lee este blog con los recuerdos de algunos participantes y completa con los verbos en pretérito imperfecto. Después, contesta las preguntas.**

Compartir Informar sobre mal uso Siguiente blog» Crear un blog Acceder

BLOG: RECUERDOS

Rodrigo: Todos los años (pasar) .... el verano con mis abuelos en el pueblo. El pueblo (estar) .... en la costa, (tener) .... pocos habitantes, (ser) .... muy tranquilo, recuerdo que mis amigos y yo todos los días por la noche (ir) .... a la playa, (nadar) .... y (pasear) .... hasta muy tarde. En el grupo (haber) .... una chica que me (gustar) .... mucho, pero yo (ser) .... muy tímido y no (poder) .... decirle una frase completa. Y ahora, después de 15 años, es mi mujer.

Félix: Cuando (estudiar) .... en el instituto, (tener) .... clase de gimnasia tres veces a la semana y, generalmente, mis compañeros y yo (jugar) .... al baloncesto, a mí no me (gustar) ...., (preferir) .... el fútbol, por eso, en aquella época (salir) .... los fines de semana con los amigos del barrio y (jugar) .... al fútbol. Lo más divertido es que ahora soy jugador de baloncesto profesional y ¡soy muy bueno!

Beatriz: Cuando (tener) .... 15 años, (odiar) .... la clase de gimnasia, no me (gustar) .... los deportes ni los ejercicios de clase, casi siempre mis compañeros y yo (hacer) .... estiramientos y abdominales, después de clase (llegar, yo) .... a casa muy cansada y solo (querer) .... dormir. Ahora trabajo en un gimnasio, soy profesora de yoga, hago muchos estiramientos y ¡me encanta mi trabajo!

1. ¿Cómo era Rodrigo? ....
2. ¿Qué le gustaba? ....
3. ¿Qué hacía Rodrigo? ¿Cuándo? ....
4. ¿Qué deportes practicaba Félix? ¿Cuándo? ....
5. ¿Cuándo y qué hacía Beatriz en clase de gimnasia? ....

9 **Termina las frases con el verbo en pretérito imperfecto.**

1. Cuando era pequeño ....
2. Mi familia y yo siempre ....
3. Mis compañeros de clase casi siempre ....
4. A veces mis padres ....
5. Generalmente yo ....
6. Mis profesores nunca ....
7. Todos los días mi herman@ ....
8. En aquella época mi mejor amig@ ....

EXPRESAR CAMBIO: *ANTES/AHORA*

10 Observa las imágenes y escribe los cambios de estas personas.

1. ....

2. ....

3. ....

LA PERÍFRASIS *SOLER* + INFINITIVO

11 a. Observa las imágenes y escribe qué solían hacer estas personas en vacaciones.

1. *Ellos* ....

2. *Ustedes* ....

3. *Nosotros* ....

4. *Vosotros* ....

b. ¿Y tú? ¿Qué solías hacer?

....

....

EL SUPERLATIVO *-ÍSIMO/MUY* + ADJETIVO/ADVERBIO

12 Escribe el superlativo en *-ísimo* de estos adjetivos y adverbios.

1. grande	5. cerca	9. cansada	13. baja ....
2. pequeños	6. difícil	10. malo	14. limpio ....
3. fáciles	7. poco	11. pronto	15. tranquilas ....
4. lejos	8. largas	12. rápidos	16. relajado ....

13 Escribe frases completas con esta información.

1. yoga/ser/bueno/salud (*-ísimo*). *El yoga es buenísimo para la salud.*
2. Tú/hacer/caminatas/largo (*-ísimo*). ....
3. sevillanas/ser/divertido (*muy*). ....
4. esquí/ser/difícil (*muy*). ....
5. playa/estar/lejos (*-ísimo*). ....
6. aerobic y capoeira/ser/aburrido (*muy*). ....
7. vestuario/ser/grande (*-ísimo*). ....
8. profesora de pilates/ser/simpático (*-ísimo*). ....

FICHA DE APRENDIZAJE

AHORA YA SABES

Expresar acciones en desarrollo
- *Ahora estoy corriendo en la cinta.*

Comparar
- *Bailar es mejor/peor que hacer flexiones.*

Expresar anterioridad/posterioridad
- *Hay que ducharse antes de nadar/de la clase de natación.*
- *Después de bailar/de la clase de baile hay que ducharse.*

Expresar necesidad
- *Es necesario ducharse después de nadar.*

Hablar de acciones habituales en el pasado
- *¿Qué hacías?*
- *Todos los años buceaba en el Caribe.*
- *Solía hacer senderismo.*

Describir algo o a alguien en el pasado
- *Era aventurero/a.*
- *Las caminatas eran larguísimas.*
- *Vivía en un pueblo pequeño.*
- *Era invierno. Hacía frío.*
- *Eran las 5 de la tarde.*
- *Tenía 16 años.*

Expresar cambio
- *Antes era abierto. Ahora es reservado.*

Destacar una cualidad
- *La playa está muy lejos. La playa está lejísimos.*
- *Él es muy reservado. Él es reservadísimo.*

AHORA YA CONOCES

Las actividades en un gimnasio
- *el yoga, las sevillanas, el* funky, *la salsa, el* hip-hop, *el aerobic, el gap, el pilates, el aquagym, la capoeira, el* spinning, *la natación, la gimnasia de mantenimiento, la danza del vientre, el flamenco.*

Las acciones en un gimnasio
- *levantar pesas, hacer estiramientos/pesas/*spinning*/bicicleta/abdominales/relajación, bailar, nadar, correr en la cinta, enseñar a nadar, dar un masaje.*

Las instalaciones en un gimnasio
- *la sala de cardio/musculación/pilates/ciclo* indoor*/baile/máquinas, la piscina, la taquilla, el vestuario.*

Las actividades y deportes al aire libre
- *el piragüismo, el senderismo, la bici de montaña, el ala delta, el submarinismo, el esquí, la escalada, las rutas 4x4, las rutas a caballo guiadas, la vela, el* windsurf, *la espeleología, el parapente, la pesca deportiva, la caza.*

Expresiones de tiempo con pretérito imperfecto
- *siempre, casi siempre, a veces, generalmente, nunca, en aquella época, todos los días/años.*

Fonética y Ortografía

El sonido [s] y su grafía: *s*

La letra *s* (ese) se pronuncia [s]:

- Al inicio y final de sílaba y palabra: *salsa, casa, estar, pesca.*
- En los grupos consonánticos *cons, trans, ins, obs: construir, transporte, instante, obstáculo.*

Los sonidos [s], [ks], [gs], [x] y su grafía: *x*

La letra *x* (equis) se pronuncia:

- [s] al inicio de palabra: *xilófono.*
- [x] en palabras como: *México, Texas, Oaxaca.*
- [ks] o [gs] entre vocales y al final de sílaba o palabra: *taxista, relax, exposición.*

1 Escucha y repite estas palabras con *s*.

1. dos
2. sala
3. visitar
4. salida
5. después
6. esquiar
7. bolso
8. sevillanas
9. desayuno
10. escalada
11. sábados
12. piscina
13. senderismo
14. máquinas

2 Escucha y repite.

1. constituir
2. obstáculo
3. transporte
4. transición
5. instancia
6. constante
7. instante
8. transbordo
9. obsceno
10. construcción

3 Escucha y repite estas palabras con *x*.

1. máximo
2. exterior
3. fax
4. Texas
5. exposición
6. mexicano
7. examen
8. extranjero
9. texto
10. experiencia
11. taxi
12. xenofobia

4 Escucha y completa con *s* o *x*.

1. e __ cur __ ión
2. e __ cala
3. e __ tación
4. e __ acto
5. e __ plicar
6. __ e __ to
7. e __ pectador
8. é __ ito
9. pró __ imo
10. te __ ano
11. cone __ ión
12. tóra __

5 Dictado. Escribe lo que oyes.

....

....

....

TRABALENGUAS

6 Escucha y lee estos trabalenguas.

1. Sale sal de las salinas.
   Salinas que dan la sal.
   Si salamos en las salinas,
   salimos salados de sal.

2. Si tu gusto fuera de mi gusto,
   los dos seríamos del mismo gusto.
   Pero ¡qué disgusto al saber que tu gusto
   no gusta del gusto que gusta mi gusto!

Lección 11: La ciudad y sus monumentos
Lección 12: Barcelona

Léxico

LOS MONUMENTOS

1 **Escribe debajo de cada fotografía el monumento que es.**

• la catedral • el castillo • la estatua • la fuente • el puente • la pirámide

1. ....
2. ....
3. ....

4. ....

5. ....

6. ....

LOS MEDIOS DE TRANSPORTE

2 **Completa las frases con las palabras de la columna de la derecha.**

1. La próxima .... es Avenida de América.
2. No puede continuar en esta .... Es el final de ....
3. Tiene que hacer .... en la línea 10.
4. Cuidado de no introducir el pie entre coche y ....
5. Tiene que coger la línea 5 en .... a Ciudad Universitaria.

• línea
• dirección
• transbordo
• estación
• andén
• trayecto

LOS LUGARES DE INTERÉS EN UNA CIUDAD

3 **Busca seis lugares de interés en una ciudad y haz una frase con cada uno.**

B R E S E V I L L A
A G E N R S A L A P
R O C I T Z P D T N
R S I M A E I F J P
I I T L L N R A A A
O N P L E Z A R B S
G C J V T Z Q O B E
D E A I R U M L I O
C A L L E U N I P S
M O E C A P T R I S

1. ....
2. ....
3. ....
4. ....
5. ....
6. ....

CARACTERÍSTICAS DE UNA CIUDAD

4 **a. Lee las frases y selecciona la palabra más adecuada para describir estas ciudades.**

1. Madrid es una ciudad *antigua/moderna* con edificios muy altos propios del siglo XXI.
2. La ciudad colombiana de Cartagena de Indias se fundó en 1533, es muy *antigua/ruidosa*.
3. Generalmente las grandes ciudades son *ruidosas/tranquilas* porque hay más población y coches.
4. Santander tiene playa y montaña, zonas tranquilas y ruidosas, es un buen ejemplo de una ciudad de *tradiciones/contrastes*.
5. Barcelona recibe a gente de todas partes del mundo, es una ciudad muy *abierta/cerrada*.
6. La mayoría de las ciudades y pueblos de España son muy *modernos/tradicionales*, mantienen sus fiestas y costumbres religiosas y culturales durante siglos.

b. Describe cómo es tu ciudad favorita.

....

....

5 **Completa la página web con las palabras del recuadro y contesta las preguntas.**

• calle • plaza • barrio • estación • pirámide • línea

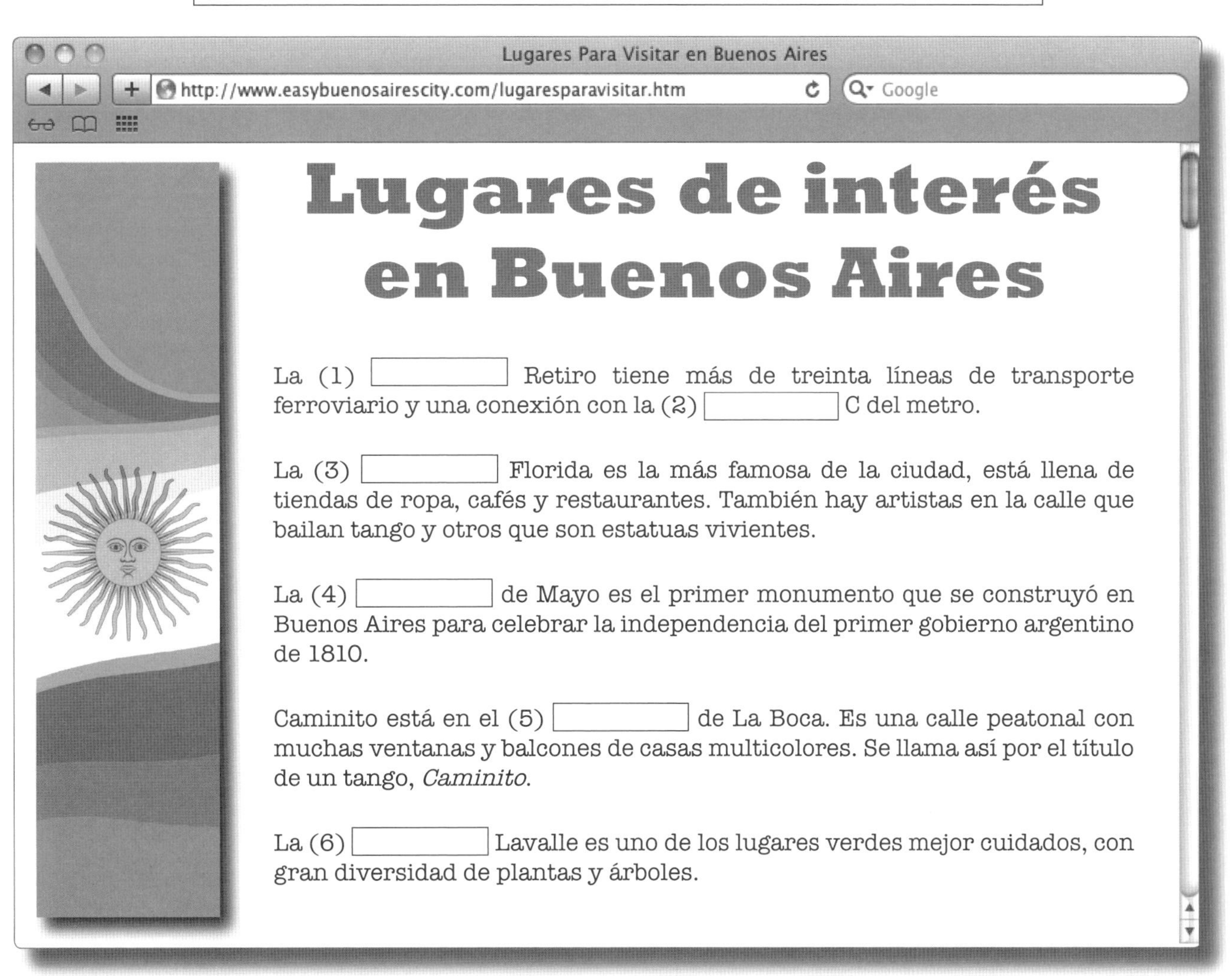

Lugares de interés en Buenos Aires

La (1) [ ] Retiro tiene más de treinta líneas de transporte ferroviario y una conexión con la (2) [ ] C del metro.

La (3) [ ] Florida es la más famosa de la ciudad, está llena de tiendas de ropa, cafés y restaurantes. También hay artistas en la calle que bailan tango y otros que son estatuas vivientes.

La (4) [ ] de Mayo es el primer monumento que se construyó en Buenos Aires para celebrar la independencia del primer gobierno argentino de 1810.

Caminito está en el (5) [ ] de La Boca. Es una calle peatonal con muchas ventanas y balcones de casas multicolores. Se llama así por el título de un tango, *Caminito*.

La (6) [ ] Lavalle es uno de los lugares verdes mejor cuidados, con gran diversidad de plantas y árboles.

1. ¿Dónde podemos tomar el tren? ....
2. ¿Qué calle es más conocida? ¿Por qué? ....
3. ¿Qué dos calles son peatonales? ....
4. ¿Qué monumento construyeron para celebrar la independencia? ....

Gramática y Funciones

LOS ORGANIZADORES DE LA INFORMACIÓN

1 **Ordena el itinerario que hace Jesús de Barcelona a Madrid. Usa los organizadores del recuadro y escribe los verbos en pretérito perfecto simple.**

• primero • luego • después • por último • al final

☐ .... (tomar) .... la línea 8 en el aeropuerto de Madrid.

☐ .... (hacer) .... transbordo en Nuevos Ministerios a la línea 6 en dirección Argüelles.

☐ .... (facturar) .... el equipaje a las 8 de la mañana en el aeropuerto de Barcelona.

☐ .... (ver) .... a sus amigos que estaban esperándolo en la puerta.

☐ .... (salir) .... de la estación y (andar) .... 500 m para ir al hotel.

EL PRESENTE DE INDICATIVO DEL VERBO *ACORDARSE*

2 **Completa con el verbo *acordarse* y relaciona las columnas. Hay diferentes opciones.**

1. (yo) ....
2. (usted) ....
3. (él) ....
4. (ustedes) ....
5. (nosotros) ....
6. (tú) ....
7. (vosotros) ....
8. (ellos) ....

a. de la visita a Toledo.
b. cuando fuimos a Málaga.
c. de la sinagoga de Toledo.
d. de la mezquita de Córdoba.
e. de la fuente de la Cibeles.
f. cuando estuvimos en Barcelona.
g. del viaje a México.
h. cuando fuimos a Chile.

1.	
2.	
3.	
4.	
5.	
6.	
7.	
8.	

EL CONTRASTE PRETÉRITO PERFECTO SIMPLE/PRETÉRITO IMPERFECTO

3 **Completa las frases con el verbo en el tiempo adecuado.**

1. El año pasado (yo, ir) .... a México y (ver) .... la pirámide de Chichén Itzá, ¡(ser) .... impresionante!
2. Anoche (recorrer, yo) .... las Ramblas. (Haber) .... muchos puestos de flores.
3. Hace tres años (visitar, ellos) .... la isla de Pascua. (Haber) .... estatuas de piedra.
4. Ayer (pasear, nosotros) .... por la ciudad de Córdoba en Argentina. El centro histórico (tener) .... muchas iglesias.
5. Las pasadas Navidades (vosotros, ir) .... a Cuzco. (Estar) .... cerca de Machu Picchu.
6. El mes pasado (estar, tú) .... en el Museo del Prado. Allí (conocer, tú) .... a un guía. (Ser) .... de tu ciudad.
7. Ayer (visitar, ustedes) .... Sevilla e (hacer, ustedes) .... muchas fotos a la Torre del Oro. (Hacer) .... mucho calor.
8. Hace dos años (recorrer, él) .... el Camino de Santiago. En los albergues (haber) .... muchos peregrinos.

4 ¿Qué hizo Jesús durante sus vacaciones? Escribe cómo fue su viaje, dónde estuvo, qué hizo, cómo eran el lugar, las personas, los monumentos, etc. Usa los organizadores que conoces.

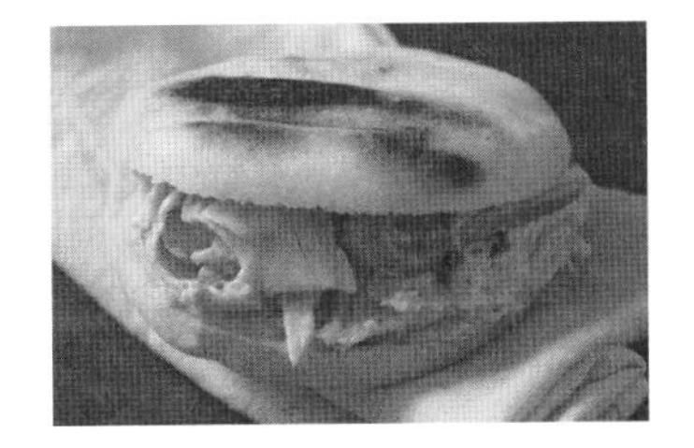

....

....

....

5 **Completa este diálogo en pretérito perfecto simple o pretérito imperfecto.**

- ● ¿Te acuerdas cuando (ir, nosotros) .... a Chile?
- ○ Sí, me acuerdo muy bien, (tener) .... 20 años.
- ● ¿Qué (gustar, a ti) .... más?
- ○ La isla de Pascua. (Haber) .... unas estatuas muy raras.
- ● Sí, (ser) .... muy grandes, (llamarse) .... *moáis*, y (servir) .... para representar a antepasados difuntos.
- ○ ¿Y te acuerdas del paseo por el Cerro de San Cristóbal?
- ● Claro que me acuerdo. (Subir, nosotros) .... en un funicular, (hacer) .... mucho calor, pero desde allí (ver) .... toda la ciudad, también (visitar) .... el zoo e (hacer) .... muchas fotos.
- ○ Sí, (pasarlo, yo) .... muy bien. Me acuerdo que en el Mercado Central de Santiago (probar, nosotros) .... diferentes platos de comida típica chilena. Me (encantar) .... el marisco.
- ● A mí también, la comida (estar) .... riquísima. Y lo mejor, las compras en el centro comercial Parque Arauco, ¿te acuerdas?
- ○ Sí, me (gastar) .... mucho dinero en regalos para la familia. Tenemos que organizar otro viaje a América del Sur.
- ● Sí, cuando quieras.

LA PERÍFRASIS *PODER* + INFINITIVO

6 **Relaciona cada pregunta con la respuesta adecuada.**

1. ¿Puede decirme dónde está la calle Serrano?
2. ¿Se puede?
3. ¿Puedo llevarme este folleto?
4. ¿Se puede pasar?
5. ¿Puedo utilizar el móvil?
6. ¿Puedo abrir la ventana?
7. Mamá, ¿puedo tocar la estatua?

a. No, no puedes tocarla.
b. No, no puede, lo siento.
c. Sí, es la siguiente calle.
d. Perdone, pero no puede.
e. Sí, claro, pase.
f. Sí, sí, ábrala.
g. Sí, pase.

7 **Completa la pregunta con el verbo *poder* y responde de forma adecuada.**

1. Buenos días, ¿(yo) .... hablar con usted?
   ....
2. ¿(Usted) .... decirme dónde está la calle Mayor?
   ....
3. ¿Los turistas .... hacer fotos sin *flash*?
   ....
4. ¿(Nosotros) .... fumar en los restaurantes?
   ....
5. ¿Los niños .... correr en la catedral?
   ....
6. ¿Se ....?
   ....

ADVERTIR E INFORMAR DE ALGO

8 **Lee estos mensajes de metro y marca si son avisos o advertencias.**

	aviso	advertencia
1. Por su seguridad, sitúese detrás de la línea amarilla.	☐	☐
2. Próxima estación, final de trayecto.	☐	☐
3. Atención, estación en curva, al salir cuidado de no introducir el pie entre coche y andén.	☐	☐
4. Próxima estación, Avenida de América, correspondencia con líneas 4, 6 y 7 de metro.	☐	☐
5. Atención, señores clientes, metro de Madrid informa que está suspendido el servicio en línea 5.	☐	☐

LAS PREPOSICIONES *A, DE, EN*

9 **Completa con la preposición adecuada.**

1. Perdone, ¿para ir .... la Puerta del Sol?
2. Tiene que ir .... la estación antigua .... la estación nueva.
3. Tienes que tomar la línea 3 .... dirección .... la plaza Mayor.
4. ¿Te acuerdas cuando fuimos .... Costa Rica?
5. Hay que hacer transbordo .... la línea 7.
6. Baja .... la próxima parada.
7. Está .... cinco estaciones.
8. Cambia .... la línea 8.

PORQUE + CAUSA/*POR* + NOMBRE/INFINITIVO

10 **Completa este anuncio de publicidad con *porque* o *por*.**

Santiago de Compostela

Tienes que visitar esta ciudad:

.... ser ciudad Patrimonio de la Humanidad.
.... su mercado al aire libre.
.... ser un lugar donde se come bien.
.... los monumentos históricos.
.... tiene tiendas de grandes diseñadores.
.... su importancia turística y comercial.
.... las personas son muy amables.

11 En la guía de viajes de Buenos Aires lees esta información. Elige dos lugares y escribe por qué tenemos que visitarlos. Usa *por* y *porque*.

Los **bosques de Palermo** es un conjunto de bosques con tres lagos artificiales, un campo de rosas y numerosos jardines con esculturas de escritores famosos como William Shakespeare, Federico García Lorca o Antonio Machado. Es ideal para pasear.

El **Café Tortoni** es uno de los cafés literarios más antiguos de la ciudad, puedes escuchar tango y *jazz* por las noches.

La **feria de mataderos** representa las raíces culturales de Argentina. Puedes encontrar artesanía argentina, comidas regionales, espectáculos de tango y bailes populares.

El **Cabildo** es el lugar donde está el Museo Histórico Nacional del Cabildo, tiene colecciones de armas, medallas y muebles de la época de la Independencia.

1. ....
2. ....

POR ESO + CONSECUENCIA

12 Relaciona las frases.

1. Está cansada		a. va a ir a visitarla.	1.
2. No conoce Sevilla		b. tengo que hacer transbordo.	2.
3. Necesito tomar la línea 4		c. comemos en casa.	3.
4. Está lloviendo	por eso	d. se ha quedado en casa.	4.
5. Está prohibido tomar el folleto		e. no lo toma.	5.
6. Los restaurantes son muy caros		f. toma el paraguas.	6.
7. Os gustan las ciudades antiguas		g. este año tengo que ir.	7.
8. El año pasado no fui a Cuba		h. vivís en Toledo.	8.

13 Completa las frases con *porque*, *por* o *por eso*.

1. No veo el puente .... estoy muy lejos.
2. Quiero visitar Chile .... los *moáis*.
3. Es el final del trayecto .... me tengo que bajar.
4. Tengo que ir a Ávila .... quiero conocer las murallas.
5. No conozco el acueducto de Segovia .... tengo que ir a esa ciudad.
6. Quiero ir al barrio de Lavapiés .... es un barrio de contrastes.
7. Estoy aquí .... la riqueza del lugar.
8. El año pasado estuve en México .... ahora conozco sus bienes culturales y naturales.

FICHA DE APRENDIZAJE

AHORA YA SABES

Organizar la información
- *Primero visitamos la sinagoga, luego fuimos a la mezquita, después fuimos a la catedral y al final/por último fuimos al puente de San Martín.*

Preguntar si se acuerda o se ha olvidado
- *¿Te acuerdas cuando fuimos a Toledo?*
- *¿No te acuerdas?*

Expresar que se acuerda
- *Sí, me acuerdo bien.*

Contar acontecimientos
- *Estuvimos en Toledo.*

Describir situaciones, personas y lugares
- *La ciudad era preciosa.*
- *Había mucha gente.*

Preguntar y dar direcciones
- *¿Puede/s decirme dónde está la estación central?*
- *Cruzas la calle.*
- *Coges/Tomas/Giras la primera/segunda/tercera calle a la derecha/izquierda.*
- *Perdone, ¿para ir a Plaza Cataluña?*
- *Tiene/s que hacer transbordo en la línea 2.*
- *Cambia/s en Oporto a la línea 5.*
- *Está a tres estaciones.*
- *Tiene/s que tomar la línea 1 en dirección a Fondo.*

Pedir/dar/denegar permiso
- *¿Se puede?*
- *¿Puedo utilizar el móvil?*
- *Sí, pase. Sí, claro.*
- *Perdone, pero no se puede.*
- *No, no puede utilizar el móvil.*
- *No, lo siento.*

Expresar prohibición
- *No puede pasar.*
- *Está prohibido fumar.*

Advertir e informar de algo
- *¡Cuidado! ¡Atención!*

Preguntar y expresar la causa
- *¿Por qué tengo que visitar Barcelona?*
- *Porque es una ciudad muy interesante.*
- *Por sus monumentos.*
- *Por tener un buen clima.*

Expresar consecuencia
- *Barcelona es una ciudad de contrastes, por eso podemos encontrar locales de diseño junto a los tradicionales.*

AHORA YA CONOCES

Los monumentos
- *el castillo, la estatua, la muralla, el obelisco, el acueducto, el palacio, la puerta, la torre, la pirámide, la mezquita, la sinagoga, el puente, la fuente, la catedral.*

Los medios de transporte: el metro
- *la línea, la dirección, el transbordo, la parada, la estación, el andén, cambiar de línea, hacer transbordo, el final de trayecto.*

Los lugares de interés en una ciudad
- *la plaza, la playa, el parque, el barrio, la calle, la avenida, el paseo.*

Características de una ciudad
- *tradicional, ruidosa, de contrastes, moderna, abierta, antigua.*

Fonética y Ortografía

Las vocales

- Hay dos tipos de vocales: las fuertes o abiertas: (*a, e, o*) y las débiles o cerradas: (*i, u*).
- La vocal que suena más en una palabra se llama *tónica*: *moderna, antigua, pirámide.* Las demás se llaman *átonas*.
- La sílaba es el sonido o grupo de sonidos que se pronuncian en un solo golpe de voz. Hay una vocal en cada sílaba. Una sola vocal puede formar una sílaba: *pez* (1 sílaba), u-va (2 sílabas), mo-der-na (3 sílabas), a-cue-duc-to (4 sílabas), etc.

1 Escucha y repite estas palabras con vocales fuertes.

1. proyecto
2. aéreo
3. vasco
4. extranjero
5. euro
6. Europa
7. barco
8. óseo
9. pera
10. estrella

2 Escucha y repite estas palabras con vocales débiles.

31

1. luz
2. mis
3. tus
4. intuir
5. cruz
6. diluir
7. sur
8. huir
9. infligir
10. civil

3 Lee estas palabras y marca la vocal que suena más fuerte.

1. trayecto
2. billete
3. acueducto
4. barrio
5. ciudadano
6. transporte
7. metro
8. final
9. castillo
10. uva

Los diptongos

- Es el conjunto de dos vocales que se pronuncian en una misma sílaba: *ciudad, guante, suelo.*
- En los diptongos la vocal fuerte (*a, e, o*) se pronuncia con más fuerza. Si las dos son débiles (*i, u*), la fuerte es la segunda (*ciudad*).

4 Escucha y repite.

a. Vocal fuerte + vocal débil (*a, e, o + i, u*).

1. bailar
2. peine
3. boina
4. maullido
5. Eugenio
6. Salou
7. audio
8. Europa
9. treinta
10. oiga

b. Vocal débil + vocal fuerte (*i, u + a, e, o*).

1. comercial
2. abierta
3. palacio
4. agua
5. puente
6. antiguo
7. hielo
8. sucio
9. fuego
10. guapa

c. Dos vocales débiles (*i, u + i, u*).

1. ciudad
2. ruido
3. triunfar
4. ciudadano
5. cuidar
6. buitre
7. suicidio
8. pingüino
9. Luis
10. ruina

5 Escucha y completa con el diptongo adecuado.

1. requ __ re
2. cord __ al
3. p __ rta
4. m __ l
5. c __ sa
6. id __ ma
7. s __ sta
8. v __ da
9. __ re
10. v __ nte

Léxico

LOS PROFESIONALES SANITARIOS Y SUS LUGARES DE TRABAJO

1 **Lee el texto y escribe un párrafo explicando qué hace cada profesional de la salud.**

En buenas manos: los profesionales de la salud

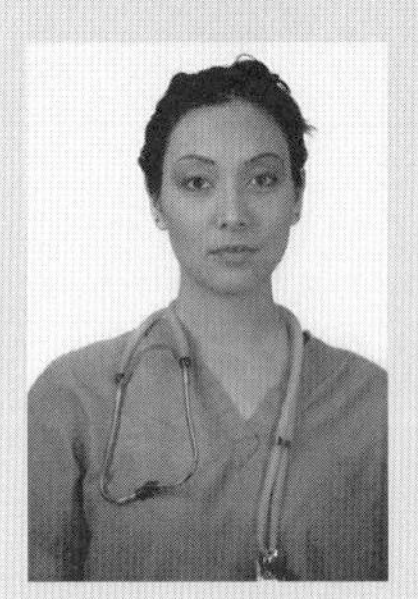

En la mayor parte del mundo disponemos de buenos profesionales que cuidan de nuestra salud, algunos trabajan en centros de salud, otros en hospitales y otros en el servicio de urgencias, pero todos con el mismo fin: atender y curar al enfermo. Sin embargo, cada uno tiene su función específica, por ejemplo, si necesitamos atención especial sobre un órgano específico de nuestro cuerpo hay que ir al hospital y ver al especialista. Se accede a este profesional a través del médico de familia, que es el que valora si debemos ir o no a un especialista.

El único profesional que puede trabajar en centros de salud, hospitales y servicios de urgencias es el enfermero, que ayuda al doctor en su trabajo. Para los niños, existen otros profesionales, los pediatras, que pueden atenderlos hasta los 16 años.

Por último, hay otros profesionales que ayudan a recuperar la movilidad y a mejorar el dolor, son los fisioterapeutas.

....
....
....
....

LAS PARTES DEL CUERPO

2 **Lee las definiciones y completa el crucigrama con las partes del cuerpo.**

1. Las necesitamos para tocar el piano.
2. Tenemos dos para ver.
3. Hay 5 en cada mano. En singular.
4. Sirve para respirar y oler el perfume.
5. Donde normalmente se ponen los pendientes. En singular.
6. Sirven para oír. En plural.
7. Las usamos para correr. En singular.
8. Los necesitamos para caminar. En plural.
9. Sirve para alimentarnos.
10. Al final de esta parte están las manos. En singular.
11. Parte superior del cuerpo.
12. Parte anterior del cuello.

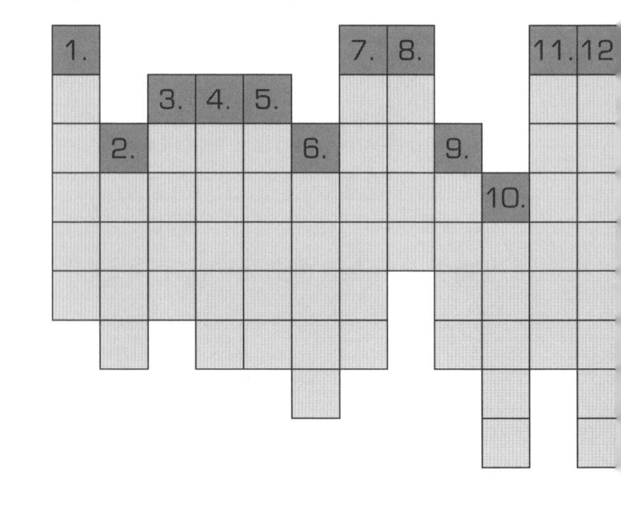

LOS SÍNTOMAS Y LAS MEDICINAS

3 **Escribe una frase explicando qué les pasa a estas personas.**

1. .... 2. .... 3. .... 4. ....

4 **Escribe debajo de cada imagen una palabra del recuadro.**

• infusión • jarabe • gotas • pastillas

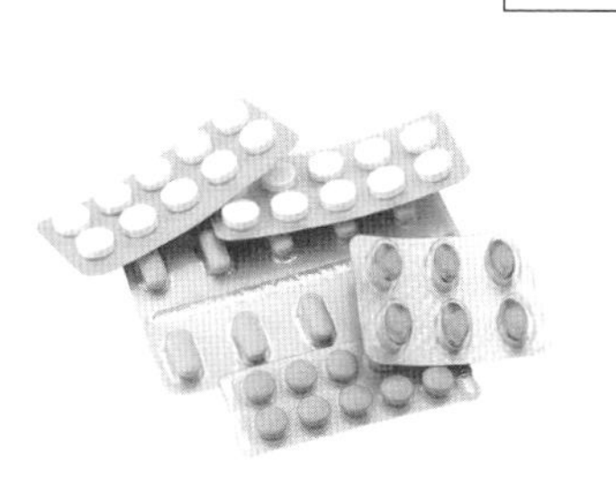   

1. .... 2. .... 3. .... 4. ....

5 **Completa las frases con las palabras del recuadro.**

• fiebre • gotas • muelas • cansado • pastillas • jarabe
• garganta • alergia • estómago • oídos

1. Tiene dolor de ....
2. Sí, tengo 39 de ....
3. Compre estas .... en la farmacia.
4. Estoy muy ...., me duele todo el cuerpo.
5. Tome este .... para el dolor de ....
6. Les duelen las ....
7. Tengo .... a los gatos.
8. Échese estas .... en los .... tres veces al día.

LOS ESTADOS DE ÁNIMO

6 **Completa las frases con estas palabras.**

• nervioso • triste • aburrido • contento • preocupado • enfadado

1. He aprobado todo el curso, estoy ....
2. Ana no está bien, está ....
3. Él ha puesto una reclamación al hospital, está muy ....
4. Mañana tengo una entrevista de trabajo, estoy muy ....
5. Se ha muerto nuestro perro, estamos ....
6. No sé qué hacer, no me gusta nada, estoy ....

Gramática y Funciones

EL IMPERATIVO AFIRMATIVO DE LOS VERBOS REGULARES E IRREGULARES

1 **Escribe el imperativo regular en la forma correcta.**

1. trabajar, vosotros ....
2. marcar, usted ....
3. escribir, tú ....
4. leer, usted ....
5. anotar, tú ....
6. completar, vosotros ....
7. vivir, usted ....
8. estudiar, vosotros ....
9. escuchar, usted ....
10. hablar, tú ....
11. comprender, ustedes ....
12. relacionar, tú ....

2 **Completa la tabla con el imperativo irregular en la forma correcta.**

	hacer	poner	tener	venir	salir	decir	ser	ir
tú								
vosotros								
usted								
ustedes								

3 **Completa la tabla con las formas de imperativo que faltan.**

	o>ue contar	e>ie entender	e>i pedir	c>zc conocer	ui>uy construir
tú	*cuenta*		*pide*		
vosotros		*entended*			
usted				*conozca*	
ustedes					*construyan*

4 **Clasifica estos verbos según su irregularidad.**

• servir • recordar • encontrar • destruir • perder • morir • vestir
• defender • morder • despedir • cocer • mentir • resolver • empezar
• corregir • cerrar • volar • conducir • medir • pensar • pertenecer
• repetir • encender • conseguir • preferir • calentar • volver • dormir
• elegir • obedecer • aparecer • huir • crecer • distribuir • traducir

- **o>ue:** *recordar,* ....
- **e>ie:** *perder,* ....
- **e>i:** *servir,* ....
- **c>zc:** *pertenecer,* ....
- **ui>uy:** *distribuir,* ....

5 ¿Qué consejos das a estas personas para tener buena salud física y emocional? Escríbelos. Usa los verbos entre paréntesis.

1. (hacer) ....
....

2. (comprar) ....
....

3. (tener) ....
....

4. (regalar) ....
....

5. (visitar) ....
....

EL IMPERATIVO AFIRMATIVO CON LOS PRONOMBRES DE OD Y OI

6 Relaciona la instrucción con el complemento adecuado.

1. bébelo
2. levántalo
3. pedídsela
4. háganlo
5. regálelas
6. pídanlas
7. solicítalas

a. ejercicio
b. ayuda
c. zumo
d. citas
e. brazo
f. tarjetas
g. flores

1.	
2.	
3.	
4.	
5.	
6.	
7.	

7 Lee las frases y elige la opción correcta.

1. Pon al niño la vacuna.
2. Di al médico tus síntomas.
3. Dad un beso al niño.
4. Diga la verdad al paciente.
5. Compren las pastillas a su madre.
6. Calentad la leche al enfermo.
7. Lleva la reclamación a la secretaria.
8. Pida cita al recepcionista.

a. pónselo/pónsela
b. díselos/díselas
c. dádselo/dámelo
d. díganosla/dígasela
e. cómpreselas/cómprenselas
f. calentádsela/calentádselo
g. llévatela/llévasela
h. pídasela/pídaselo

8 Reescribe las frases utilizando los pronombres de OD y OI.

1. dar/usted/a mí/el jarabe. ....
2. enviar/tú/a él/las cartas. ....
3. escribir/tú/a ustedes/la receta. ....
4. poner/ustedes/a ella/la falda. ....
5. leer/vosotros/a nosotros/los periódicos. ....
6. recordar/vosotros/a mí/el tratamiento. ....
7. comprar/tú/el jarabe/al niño. ....

EL IMPERATIVO DE LOS VERBOS REFLEXIVOS

9 **Con esta información escribe frases en imperativo y el pronombre de OD adecuado.**

1. lavarse/tú/las manos. ....
2. ponerse/usted/el vestido. ....
3. afeitarse/vosotros/la barba. ....
4. pintarse/ustedes/los labios. ....
5. maquillarse/tú/la cara. ....
6. peinarse/ustedes/el pelo. ....
7. ponerse/vosotros/los zapatos. ....
8. secarse/usted/el pelo. ....

10 **Completa en imperativo *tú* esta lista de consejos para viajar seguro.**

¿Vas a viajar este verano? Sigue estos consejos para no tener problemas de salud

1. (Pedir) .... información sobre los requisitos sanitarios o vacunas necesarias para determinados países.
2. (Hacerse) .... un chequeo médico antes de partir y (evaluar) .... los riesgos del viaje.
3. (Ponerse) .... las vacunas recomendadas para el país de destino.
4. (Vestirse) .... con ropas de color claro y que cubran al máximo el cuerpo para evitar picaduras de mosquitos.
5. (Aplicarse) .... protector solar para evitar quemaduras.
6. (Protegerse) .... del sol usando sombrero y gafas de sol.
7. (Lavarse) .... los dientes con agua embotellada y las manos antes de comer.
8. (Consumir) .... alimentos bien cocinados.
9. (Bañarse) .... con cuidado en el mar, sobre todo en lugares con olas.
10. (Ser) .... consciente del riesgo que hay en el lugar visitado y (tomar) .... las medidas adecuadas.

CUANDO + PRESENTE DE INDICATIVO/*DOLER* Y *SENTIRSE*

11 **Completa las frases.**

1. Cuando (correr, yo) .... mucho, (doler) .... las piernas.
2. Cuando (comer, tú) .... mucho, (doler) .... el estómago.
3. Cuando (toser, nosotros) ...., (doler) .... la garganta.
4. Cuando (hacer, vosotros) .... ejercicio, (sentirse) .... bien.
5. Cuando (hacer, yo) .... estiramientos, (sentirse) .... cansado.
6. Cuando (estar, usted) .... enfermo, (sentirse) .... mal.
7. Cuando (tomar, yo) .... bebidas frías, (doler) .... las muelas.

EL PRESENTE DE SUBJUNTIVO DE LOS VERBOS REGULARES

12 **Escribe el presente de subjuntivo en la forma correcta.**

1. tomar, ustedes ....
2. escribir, él ....
3. comer, nosotros ....
4. estudiar, usted ....
5. vivir, nosotros ....
6. hablar, ellos ....
7. abrir, yo ....
8. beber, tú ....
9. compartir, vosotros ....
10. comprender, ustedes ....
11. explicar, tú ....
12. recibir, él ....
13. invitar, yo ....
14. descansar, ellas ....
15. correr, vosotros ....
16. decidir, él ....

ES NECESARIO/CONVENIENTE/IMPORTANTE + INFINITIVO/PRESENTE DE SUBJUNTIVO

13 **Completa las frases de forma adecuada según tus circunstancias.**

1. Es necesario que los profesores ....
2. Es importante que tú ....
3. Es conveniente ....
4. Es importante ....
5. Es necesario que yo ....
6. Es conveniente que mi herman@ ....
7. Es importante que mis amigos ....

14 **Lee los problemas que explican en esta revista de salud y escribe 3 consejos para cada uno.**

1

¡Hola!

Mi problema es que cuando me lavo las manos se secan mucho. He probado muchos tipos de cremas, pero no funcionan, ¿qué puedo hacer? harta99@hotmail.com

2

Buenos días a todos.

Mi problema es que me duele la garganta, tengo tos, por eso no puedo dormir. ¿Qué hago? despierto@yahoo.es

3

Hola, necesito ayuda. Estoy muy cansado y no trabajo mucho, cuando camino un poco o subo las escaleras me canso mucho, ¿qué puedo hacer? Gracias. cansino@gmail.com

4

Hola. Mi hermano y yo somos muy nerviosos. En las entrevistas de trabajo, cuando tenemos exámenes o cuando estamos en un grupo con gente nueva, lo pasamos muy mal. ¿Qué hacemos? nervihermanos@yahoo.com

1

1. ....
2. ....
3. ....

2

1. ....
2. ....
3. ....

3

1. ....
2. ....
3. ....

4

1. ....
2. ....
3. ....

FICHA DE APRENDIZAJE

AHORA YA SABES

Dar y responder a una instrucción
- *Por favor, llama al centro de salud.*
- *Hay que llamar al centro de salud.*
- *Tiene que escribir su nombre.*
- *Complete el formulario.*
- *Sí, claro.*
- *Vale/Bueno, vale.*
- *No sé.*
- *Lo siento, pero tengo que trabajar.*
- *Lo siento, no puedo. Tengo que trabajar.*
- *No quiero/puedo ir.*

Hablar del estado físico y de la salud
- *¿Qué le/te pasa?*
- *¿Qué tal está/s?*
- *¿Cómo está/s?*
- *¿Está/s bien?*
- *Me siento (muy/bastante/un poco) mal.*
- *(No) me siento bien.*
- *Me duele/n (mucho/bastante/un poco) el estómago/las muelas/el oído/la garganta.*
- *Tengo dolor de cabeza.*
- *Tengo fiebre/alergia/tos/frío/gripe.*
- *Estoy mal/fatal/enfermo/cansado/mareado.*

Expresar simultaneidad
- *Cuando tengo gripe, tengo fiebre y dolor de cabeza.*

Aconsejar
- *Puedes tomar agua.*
- *Tome este jarabe.*
- *Hay que descansar.*
- *¿Por qué no tomas estas pastillas?*
- *Tienes que dormir 8 horas.*
- *Es necesario cuidar a los amigos.*
- *Es importante/conveniente que cuides a tus amigos.*

Hablar del estado de ánimo
- *¿Qué tal está/s?*
- *¿Cómo está/s?*
- *¿Está/s bien?*
- *Estoy triste.*
- *No estoy bien, estoy preocupado.*
- *Está (muy/bastante/un poco) contento/triste/aburrido/preocupado/enfadado/nervioso.*

Desear éxito o suerte
- *¡Suerte!*
- *¡Buena/Mucha suerte!*

Expresar posibilidad
- *Quizá(s).*
- *Es probable.*
- *Puede ser.*

Expresar certeza y falta de certeza
- *Estoy seguro de que está bien.*
- *Sé que es un buen profesional.*
- *No estoy seguro.*

AHORA YA CONOCES

Los profesionales sanitarios y sus lugares de trabajo
- *el/la médico/a de familia, el/la especialista, el/la pediatra, el/la trabajador/-a social, el/la psicólogo/a, el/la fisioterapeuta, el/la enfermero/a.*
- *el hospital, el centro de salud/de atención primaria, el servicio de urgencias.*

Las partes del cuerpo
- *la cabeza, la mano, el pie, la pierna, el pecho, el brazo, el cuello, la oreja, la boca, la garganta, el estómago, el oído, la nariz, el dedo, la espalda, las muelas.*

Los síntomas
- *la fiebre, la tos, tener fiebre/dolor de oídos/cabeza/muelas, doler las piernas/la garganta, tener alergia/tos/frío/calor, estar enfermo/a, estar cansado/a, estar mareado/a.*

Las medicinas
- *el jarabe, las pastillas, las gotas, las infusiones.*

Los estados de ánimo
- *triste, aburrido/a, enfadado/a, preocupado/a, contento/a, nervioso/a, tranquilo/a.*

Fonética y Ortografía

El hiato

- Es la secuencia de dos vocales que están juntas, pero se pronuncian en sílabas distintas y, por tanto, no forman diptongo.
- El acento cae sobre la vocal débil (*i, u*): *dí-a, dú-o, tí-o, sitú-a.*

1 Escucha, repite y pon tilde sobre la vocal débil.

34

1. poesia	3. baul	5. guia	7. actua	9. fluor
2. oido	4. jardineria	6. sabia	8. seria	10. frio

El triptongo

- Es el conjunto de tres vocales que se pronuncian en la misma sílaba.
- Están formados por una vocal fuerte (*a, e, o*) entre dos vocales débiles (*i, u*).
- La vocal abierta es tónica (fuerte): *buey, miau, guau, averiguáis, cambiéis, estudiáis.*
- Si una vocal fuerte (*a, e, o*) está entre dos débiles (*i, u*), se divide en dos sílabas distintas cuando el acento va en una de las vocales débiles. El acento escrito va sobre la vocal débil: *te-ní-ais, co-mí-ais.*

2 Escucha y repite.

35

1. Uruguay	3. criáis	5. actuáis	7. Paraguay	9. miau
2. averiguáis	4. guau	6. pronunciéis	8. graduéis	10. enviáis

3 Escucha y completa con el triptongo adecuado.

36

1. act ___ s	3. cop ___ s	5. grad ___ s	7. conf ___ s	9. anunc ___ s
2. act ___ s	4. cop ___ s	6. grad ___ s	8. conf ___ s	10. anunc ___ s

4 Completa con la persona vosotros de estos verbos. Escucha y comprueba.

37

	indicativo	subjuntivo
1. guiar	....	....
2. insinuar	....	....
3. puntuar	....	....
4. iniciar	....	....
5. anunciar	....	....
6. situar	....	....
7. apreciar	....	....
8. renunciar	....	....

5 Escucha, repite y escribe el acento en la vocal adecuada.

38

1. tendriais	3. podriais	5. viviais	7. teniais	9. saliais
2. leiais	4. escribiais	6. sabiais	8. dormiais	10. leeriais

6 Dictado. Escribe lo que oyes.

39

1. ....
2. ....
3. ....
4. ....
5. ....
6. ....

Léxico

LOS ENVASES Y LAS CANTIDADES

1 **Relaciona los envases o la cantidad con el alimento correspondiente.**

Envase o cantidad	Alimentos
1. la caja	a. huevos
2. la docena	b. leche
3. la lata	c. magdalenas
4. el paquete	d. atún
5. el bote	e. harina
6. el litro	f. cereales
7. el kilo	g. tomate
8. la barra	h. pan
9. la botella	i. aceite
10. la bolsa	j. filetes
11. 200 gramos	k. chorizo

1.	
2.	
3.	
4.	
5.	
6.	
7.	
8.	
9.	
10.	
11.	

2 **Observa qué ha comprado Laura y haz una lista. Indica el envase, cantidad, material, etc.**

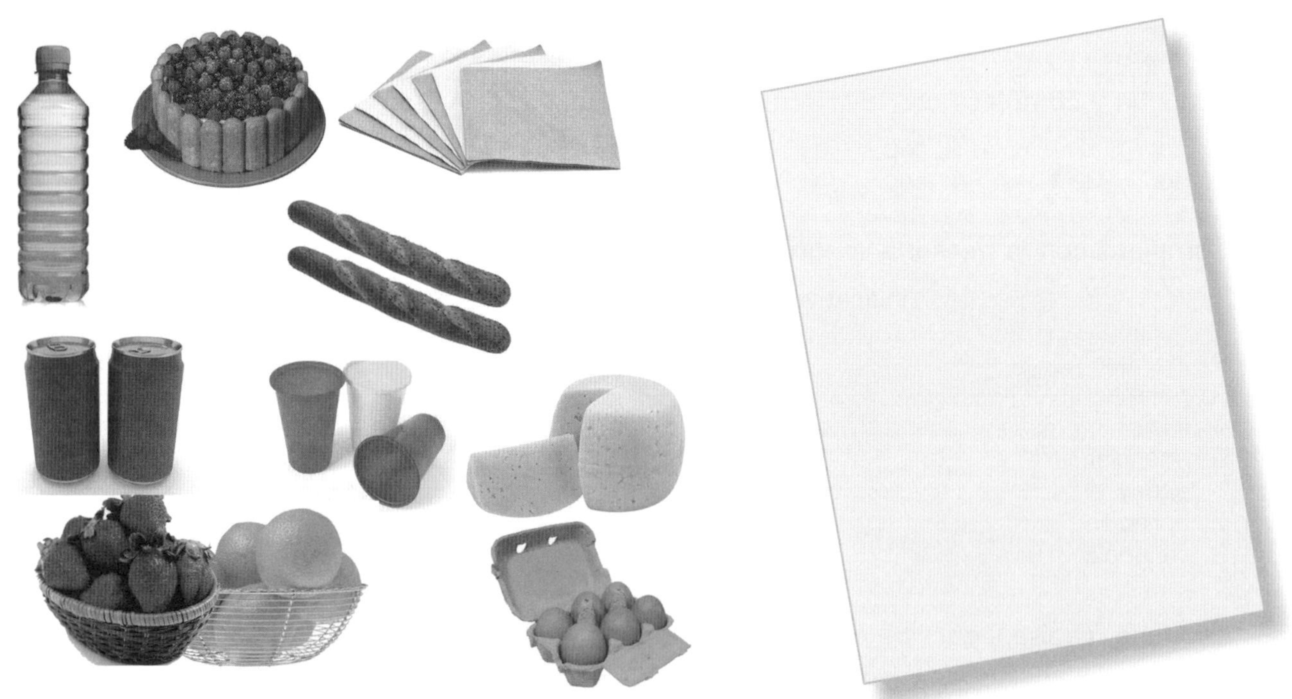

ACCIONES EN LA COCINA

3 **Relaciona las columnas y escribe el nombre de un plato que necesita esa acción.**

		plato
1. hervir	a. filete	1. ....
2. freír	b. manzana	2. ....
3. batir	c. arroz	3. ....
4. pelar	d. huevo	4. ....

LOS UTENSILIOS DE LA MESA

4 Te cambias de casa.
Escribe en tu diario los regalos que te han hecho.
Sustituye la imagen por la palabra adecuada.

29 de agosto

Ya estoy en mi nuevo apartamento, mi familia me ha regalado todo para la cocina:
Mi abuela, un .... de cuadros, no es grande pero es bonito, con seis ....
Mis padres, una cubertería completa: doce ...., doce .... y doce ....
Mi hermano, una vajilla azul y amarilla, con doce .... de cada tipo, hondos, llanos y de postre, y una ensaladera.
Mi tía, seis .... de vino, ¡me encantan! Y mi hermana una .... de cristal para el agua y seis .... también azules.
Mi amiga, cuatro .... de desayuno, una de cada color.
Estoy muy contenta de estar en mi nueva casa.

LOS MATERIALES

5 Busca en la sopa de letras cinco materiales y escríbelos.

L	M	V	B	I	O	A	P
O	E	P	A	P	E	L	L
P	T	S	D	T	L	U	A
Ñ	A	M	B	A	R	O	S
U	L	O	L	E	T	L	T
H	R	E	I	S	E	P	I
J	T	I	D	T	E	L	C
C	R	I	S	T	A	L	O

1. ....
2. ....
3. ....
4. ....
5. ....

LOS PLATOS ELABORADOS Y LAS BEBIDAS

6 Escribe tres ingredientes de cada plato.

1

1. ....
2. ....
3. ....

2

1. ....
2. ....
3. ....

3

1. ....
2. ....
3. ....

4

1. ....
2. ....
3. ....

Gramática y Funciones

EL IMPERATIVO NEGATIVO DE LOS VERBOS REGULARES E IRREGULARES

1 **Completa con el imperativo negativo de estos verbos regulares.**

	preparar	meter	batir
tú	no	no	no
vosotros			
usted			
ustedes			

2 **Completa las frases con el verbo adecuado en imperativo negativo.**

• batir • beber • echar • llenar • cortar • mezclar • lavar • abrir

1. (Tú) No .... la leche porque está muy caliente.
2. (Vosotros) No .... las patatas porque ya están limpias.
3. (Ustedes) No .... todavía los huevos.
4. (Tú) No .... el bote de aceitunas, no vamos a comerlas.
5. (Vosotros) No .... los ingredientes, hay que prepararlos por separado.
6. (Tú) No .... mucha sal al filete.
7. (Usted) No .... la jarra de agua.
8. (Vosotros) No .... la pechuga de pavo en trozos pequeños.

3 **Escribe el imperativo negativo de estos verbos irregulares.**

1. tener, tú ....
2. decir, vos. ....
3. salir, Uds. ....
4. venir, tú ....
5. hacer, Ud. ....
6. ser, tú ....
7. ir, Ud. ....
8. venir, vos. ....
9. tener, Ud. ....
10. salir, tú ....
11. decir, Uds. ....
12. ser, vos. ....
13. poner, tú ....
14. ir, tú ....
15. venir, Ud. ....
16. tener, vos. ....
17. ir, vos. ....
18. poner, Ud. ....
19. salir, vos. ....
20. hacer, tú ....
21. decir, tú ....

4 **Completa con el imperativo negativo de estos verbos irregulares.**

	o>ue		e>ie		e>i	
	cocer	remover	calentar	encender	pedir	repetir
tú						
vosotros						
usted						
ustedes						

	c>zc		ui>uy	
	crecer	conducir	distribuir	disminuir
tú				
vosotros				
usted				
ustedes				

5 **Reescribe las frases en imperativo negativo.**

1. Cuece las albóndigas. ....
2. Di los ingredientes de la ensalada. ....
3. Calentad la comida. ....
4. Haz los entrantes. ....
5. Enciendan el fuego. ....
6. Hierva el agua. ....
7. Ponga la mesa. ....
8. Repetid el postre. ....

EL IMPERATIVO NEGATIVO CON LOS PRONOMBRES DE OD Y OI

6 **Escribe estas instrucciones en imperativo negativo.**

1. mézclalas ....
2. pónganlo ....
3. hazlos ....
4. partidlas ....
5. téngalo ....
6. encendedlo ....
7. sáquelos ....
8. échela ....

7 **Completa en imperativo negativo y transforma las frases como en el ejemplo.**

1. No (poner, tú) *pongas los platos en la mesa.* *No los pongas.*
2. No (lavar, vosotros) .... las fresas. No ....
3. No (partir, ustedes) .... el pan. No ....
4. No (hervir, tú) .... el agua. No ....
5. No (decir, usted) .... la receta del postre. No ....
6. No (meter, tú) .... la comida en el frigorífico. No ....
7. No (cerrar, usted) .... la puerta del armario. No ....
8. No (contar, usted) .... los huevos. No ....

8 **Responde en imperativo negativo y sustituye las palabras en cursiva por un pronombre de OI.**

1. ¿Doy la cuenta *al cliente*? No, no ....
2. ¿Hacemos la comida *a los invitados*? No, no ....
3. ¿Llevo el pan *a mi hermano*? No, no ....
4. ¿Lavamos los platos *a los invitados*? No, no ....
5. ¿Hago las tortillas *a tu madre*? No, no ....
6. ¿Calentamos el agua *a los cocineros*? No, no ....
7. ¿Quitamos la mesa *a los invitados*? No, no ....
8. ¿Pongo cucharas de plástico *a los niños*? No, no ....

9 **Responde a las preguntas como en el ejemplo.**

1. ¿Puedo retirarte el plato? *No, no me lo retires.*
2. ¿Le traigo más pan? ....
3. ¿Os pongo la bebida? ....
4. ¿Me das el plato? ....
5. ¿Nos cortas el filete? ....
6. ¿Te abro la botella? ....
7. ¿Os lleno las copas? ....
8. ¿Nos traes la cuenta? ....

10 Transforma las frases como en el ejemplo.

1. Lávese las manos. *No se las lave.*
2. Póngase la servilleta. ....
3. Cepíllate los dientes. ....
4. Maquillaos los ojos. ....
5. Limpiaos la cara. ....
6. Aféitate la barba. ....
7. Ponte el vestido nuevo. ....
8. Sécate el pelo. ....

11 Relaciona y forma frases como en el ejemplo.

1. échamela a. las fresas
2. tráigamelo b. una cucharada de azúcar
3. pónselas c. el plato
4. lávaselas d. los vasos
5. llenádmelos e. las servilletas

1.	b.	*Échame una cucharada de azúcar.*
2.		....
3.		....
4.		....
5.		....

DAS INSTRUCCIONES PARA PREPARAR UNA TORTILLA

12 Lee esta receta y escribe un correo a una revista de cocina para explicar cómo se elabora. Usa el imperativo *tú* o *usted*.

Tortilla de patata

Paso 1:
- Lavar y pelar las patatas.
- No cortar las patatas en láminas finas.
- Calentar el aceite.
- Echar las patatas en la sartén y freír.
- No añadir mucha sal.
- Retirar las patatas de la sartén.

Paso 2:
- Batir los huevos.
- Mezclar las patatas con los huevos batidos.

Paso 3:
- Calentar muy poco aceite en la sartén.
- Echar la mezcla del huevo y las patatas y freír.
- Dar la vuelta y freír por el otro lado.

De:

Para:

Asunto:

LAS FORMAS LEXICALIZADAS DEL IMPERATIVO AFIRMATIVO

13 **Completa cada diálogo con una de las formas del recuadro.**

• ¿diga?	• perdone	• perdona	• oye	• oiga	• mira	• mire

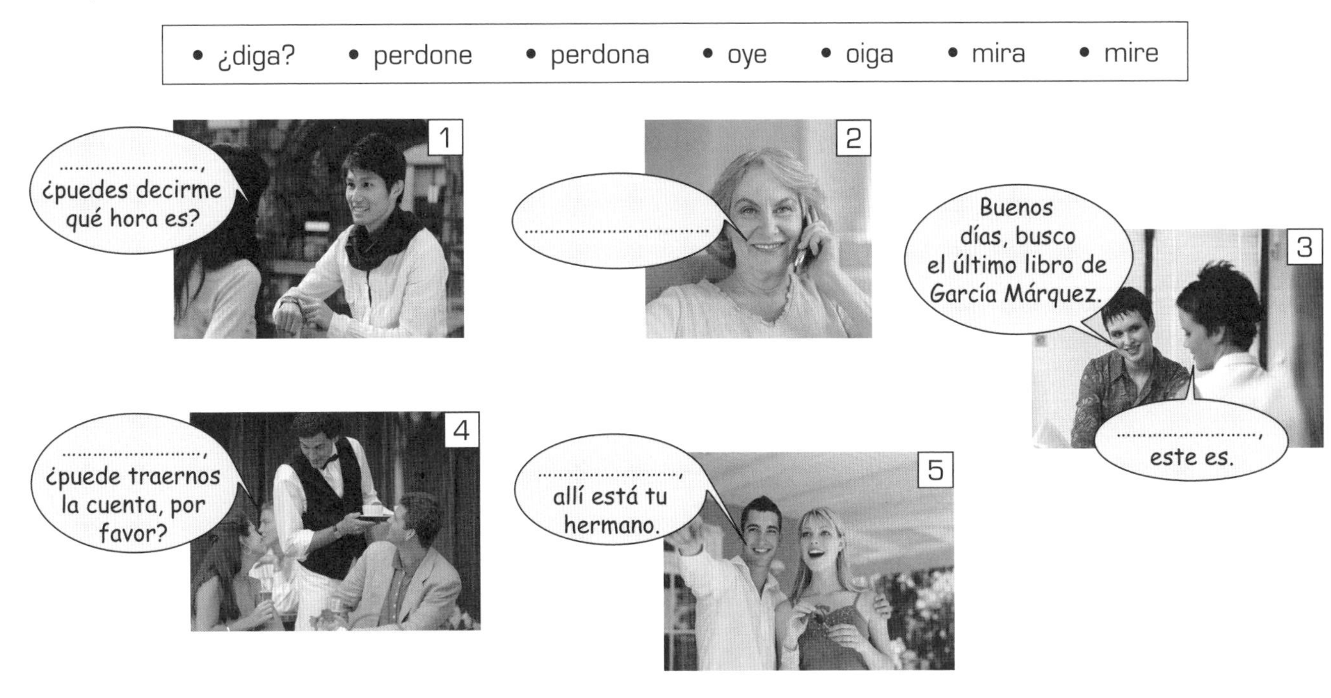

LOS PRONOMBRES POSESIVOS

14 **Completa con el pronombre posesivo adecuado.**

1. Las chuletas de cordero son (de él) ....
2. ¿Son (de ellos) .... esos móviles?
3. ¿Este vaso es (tú) ....?
4. ¿Es (de vosotros) .... esta silla?
5. Esta tarta es (de nosotros) ....
6. Este plato es (yo) ....
7. ¿Las gambas son (de usted) ....?
8. Los aguacates son (de nosotros) ....

15 **Completa con un posesivo y el artículo definido cuando es necesario.**

1. ● ¿Son (de vosotros) .... estos platos?
   ○ No, no son ...., son (de ellos) ....
2. ● ¿De quién es esto?
   ○ Es (tú) ....
3. No quiero tu postre, prefiero ....
4. ● Hay muchos platos, ¿este es (de vosotros) ....?
   ○ No, no es ...., es de Luis.
5. ● Mi copa está rota, ¿puedo usar (tú) ....?
   ○ No, ... está rota.
6. ● ¿Estas berenjenas son (de ustedes) ....?
   ○ Sí, son ....
7. ● Mi comida está muy buena, ¿y (de vosotros) ....?
   ○ .... también.
8. ● Aquí están mis cubiertos, ¿estos son (de él) ....?
   ○ No, son (yo) ....

FICHA DE APRENDIZAJE

AHORA YA SABES

Dar instrucciones
- *No eches mucha sal.*

Pedir algo en un restaurante
- *¿Puede darme otra servilleta?*
- *¿Me trae otro tenedor?*

Dirigirse a alguien
- *Perdona/e.*
- *Oye/Oiga.*
- *Mira/e.*
- *¿Diga?/¿Dígame?*

Dar la bienvenida a alguien
- *Buenas tardes, bienvenidos.*

Responder a una bienvenida
- *(Muchas) gracias.*

Reservar mesa en un restaurante
- *Buenos días, quiero reservar una mesa para dos, a las tres de la tarde, a nombre de Rosa Hernández.*

Pedir la cuenta
- *Perdone, ¿nos trae la cuenta?*

Formular deseos
- *Que aproveche.*
- *Que descanse/s.*
- *Que cumpla/s muchos más (años).*
- *Que tenga/s un buen viaje.*
- *Que tenga/s suerte.*
- *Que pase/s un buen día.*

Expresar posesión
- *En mi país hay mucha fruta.*
- *En el mío también.*
- *¿De quién es este plato?*
- *Es mío.*

AHORA YA CONOCES

Los envases y las cantidades
- *la caja, el paquete, la lata, la botella, el bote, la bolsa, los gramos, el (medio) kilo, el (medio) litro, la (media) docena.*

Las acciones en la cocina
- *echar, añadir, cortar, mezclar, poner, lavar, quitar, pelar, calentar, preparar, freír, sacar, colocar, batir, hervir, remover, meter, servir, tomar, llenar, partir.*

Los utensilios de mesa
- *el plato, el vaso, la taza, la servilleta, el tenedor, el cuchillo, la cuchara, la copa, la jarra, el mantel.*

Los materiales
- *el papel, la tela, el plástico, el cristal, el metal.*

Los platos elaborados y las bebidas
- *la tarta de manzana/crema/chocolate, el yogur, el gazpacho, el helado de chocolate/fresa, las gambas a la plancha, la ensalada de pasta, el solomillo de ternera, la chuleta de cordero, la dorada al horno, la trucha, la piña natural, el melón, los pimientos rellenos, los espárragos con mayonesa, la crema de espinacas, los guisantes con jamón, las judías verdes, la ensalada mixta, la pechuga de pavo, la costilla de cerdo, las sardinas asadas, el emperador a la plancha, el agua mineral sin gas, el agua con gas, el refresco, el zumo de naranja/tomate, el té, el café.*

Productos típicos españoles e hispanoamericanos
- *la naranja, el aceite de oliva, el queso, la miel, el plátano, el espárrago, el jamón ibérico, la cebolla, el ajo, el maíz, el pollo, el arroz, la ternera, el cerdo, los frijoles, la piña, la papaya, la patata, el cacahuete, la aceituna, la paella, el cocido, el cochinillo, la sopa, el pisto, el gazpacho, las tapas, el guacamole, el taco, el chili, la enchilada, la fajita, el café, la berenjena, el puerro, la brocheta de verdura, la albóndiga, el champiñón relleno de verdura, el pastel de calabaza.*

Fonética y Ortografía

El acento de intensidad

- El acento de intensidad o tónico es la mayor fuerza con que se pronuncia una sílaba en una palabra.
- La sílaba sobre la que cae el acento de intensidad se llama *tónica*. Las otras sílabas se llaman *átonas*.
- En una palabra la posición del acento de intensidad puede cambiar y, por lo tanto, su significado también:
  a. *público* (sustantivo o adjetivo); b. *publico* (presente indicativo, verbo *publicar*, yo); c. *publicó* (pretérito perfecto simple, verbo *publicar*, él).

1 Escucha, repite y subraya la sílaba tónica.

40

1. papel
2. remover
3. servilleta
4. tenedor
5. jarra
6. mantel
7. plástico
8. café
9. cuchara
10. vaso

2 Marca la palabra que escuchas.

41

1. calle ☐ / callé ☐
2. estudio ☐ / estudió ☐
3. peso ☐ / pesó ☐
4. escuche ☐ / escuché ☐
5. río ☐ / rio ☐
6. frío ☐ / frió ☐

3 Escucha y ordena estas palabras.

42

1. tituló ☐ / título ☐ / titulo ☐
2. diálogo ☐ / dialogo ☐ / dialogó ☐
3. genero ☐ / generó ☐ / género ☐
4. habitó ☐ / habito ☐ / hábito ☐
5. calculo ☐ / cálculo ☐ / calculó ☐
6. catalogo ☐ / catálogo ☐ / catalogó ☐

Las palabras monosílabas

- Estas palabras solo tienen una sílaba (tónica), pero no llevan tilde: *sol, sal, pie, dio, vio, fui, pan.*
- Excepción: algunas llevan tilde para diferenciarse de otras que se escriben igual, pero tienen diferente significado y función gramatical:
  té (sustantivo)/*te* (pronombre); *tú* (pronombre)/*tu* (posesivo); *dé* (verbo *dar*)/*de* (preposición); *él* (pronombre)/*el* (artículo); *mí* (pronombre)/*mi* (posesivo); *sé* (verbo *ser*, *saber*)/*se* (pronombre); *sí* (adverbio, pronombre)/*si* (conjunción condicional).

4 Escucha y completa con el monosílabo adecuado.

43

1. Esto es para .....
2. ..... no tiene copa.
3. ¿Dónde está ..... hermano?
4. No ..... dónde está.
5. Quiero un ...., por favor.
6. Corte .... solomillo de ternera.
7. .... eres muy simpático.
8. .... quieres, ... hago la comida.

5 Escribe la tilde en la palabra subrayada si es necesario.

1. Si voy contigo, dime que si.
2. Tu haces tu postre.
3. ¿Te sirvo un te?
4. De la receta de mi amigo.
5. ¿Es para mi?
6. No, no es para ti, es para mi mujer.
7. Yo si se la respuesta, ¿y tu?
8. ¿El te trajo el paquete de arroz?

6 Escucha y completa estas frases célebres.

44

1. .... auténtico amigo es .... que lo sabe todo ...... ti y sigue siendo .... amigo.
2. .... secreto .... la felicidad no es hacer siempre lo que .... quiere sino querer siempre lo que .... hace.
3. .... la juventud es un defecto, uno ...... corrige muy pronto ....
4. .... no .... quieren como .... quieres que .... quieran, ¿qué importa que .... quieran?

Léxico

LA PROGRAMACIÓN DE TELEVISIÓN

1 **a. Relaciona el tipo de programa con su definición.**

1. teletienda
2. tiempo
3. deportes
4. concurso
5. programa musical
6. serie
7. debate
8. documental
9. *reality show*
10. dibujos animados
11. *magazine*
12. telediario

a. programa infantil.
b. presenta productos para comprar por teléfono.
c. espacio sobre música, canciones, tele.
d. programa donde varias personas opinan sobre un tema.
e. programa informativo sobre diferentes temas: vida animal, culturas de otros países.
f. espacio que informa del clima y la temperatura.
g. espacio para hablar de fútbol, tenis, baloncesto, etc.
h. competición para ganar un premio: dinero, viajes, etc.
i. programa que informa de las noticias del día.
j. programa de contenido variado, entrevistas, reportajes, etc.
k. película que se presenta por capítulos.
l. programa de telerrealidad.

1.	
2.	
3.	
4.	
5.	
6.	
7.	
8.	
9.	
10.	
11.	
12.	

b. Con la información anterior crea tu propia programación de televisión.

Programación de junio			
	hora	tipo de programa	comentario
sábado 29	8:30	....	....
	9:00	**Teletienda.**	Productos interesantes a buen precio.
	10:00	....	....
	12:00	....	....
	15:00	....	....
	17:00	....	....
	21:00	....	....

EL ORDENADOR

2 **a. Encuentra ocho objetos relacionados con el ordenador y escríbelos.**

I	V	P	A	N	T	A	L	L	A
M	B	L	E	R	T	O	B	N	A
P	R	M	O	N	I	T	O	R	L
R	A	L	L	A	C	D	B	U	T
E	T	U	S	C	A	B	L	E	A
S	O	I	O	L	O	C	N	S	V
O	S	M	C	A	J	O	R	I	O
R	M	E	M	O	R	I	A	M	C
A	T	P	Ñ	A	E	R	T	P	E
M	N	O	R	A	T	O	N	R	S

1. ....
2. ....
3. ....
4. ....
5. ....
6. ....
7. ....
8. ....

b. Ahora completa las frases con las palabras de la sopa de letras.

1. No puedo guardar más documentos en la .... porque está llena.
2. El .... del ordenador no tiene ...., funciona con pilas.
3. En mi ordenador escucho muy bien las canciones porque tiene buenos ....
4. Algunas letras del .... no se ven bien, están borradas.
5. Tienes que comprarte una .... para imprimir los documentos.
6. Para evitar problemas en los ojos no hay que acercarse a la .... del ordenador.

INTERNET

3 **Observa esta página web y completa cada sección con una de las palabras del recuadro.**

www.embarque.es

Bienvenidos a nuestra
(1) [ ]

Para registrarte escribe tu dirección de
(2) [ ]
y una (3) [ ]
(números y letras).

Si buscas ejercicios o ayuda para tu clase, puedes hacer clic en el
(4) [ ]
zona de estudiantes donde hay actividades para practicar gramática, vocabulario, etc.

También te ofrecemos otras opciones:

- Para discutir sobre temas de la cultura española, entra en este (5) [.........................] y escribe o lee lo que allí escriben.
- Para comunicarte con estudiantes de español de todo el mundo participa en nuestro (6) [.........................] internacional.

También nos puedes encontrar en Facebook, la (7) [.........................] más famosa para conocer a la Comunidad de *Embarque*.

4 **Lee las siguientes frases y complétalas con un verbo adecuado en la forma correcta. Después completa el crucigrama con estos verbos.**

1. (Nosotros) .... tres mensajes electrónicos al día.
2. Hay que .... en este enlace para ver la información.
3. Ayer (yo) .... fotos en mi Facebook.
4. (Tú) .... una cuenta de correo en gmail.
5. (Él) Va a .... su CV en el correo.
6. Ahora estoy .... por la red.
7. Voy a .... a Internet para ver mi correo.
8. Tienes que .... en esta página web, ¡es fantástica!
9. Tienes que .... este programa, es muy bueno.
10. Hay que .... una copia de este archivo por correo.

1.				5.	6.		8.		10.
R				A	N	7.	E		E
	2.	3.				C		9.	
	P	C						B	
			4.						
			A						

5 **Añade a estos verbos tres sustantivos posibles.**

- **Abrir:** *una cuenta de correo,* ....
- **Enviar:** ....
- **Recibir:** ....
- **Bajarse:** ....

Gramática y Funciones

HABLAR POR TELÉFONO

1 **Completa las siguientes conversaciones telefónicas con la expresión adecuada.**

- ● ¿Está Pablo, por favor?
- ○ Sí, ¿ .... ?
- ● De Javier.
- ○ Espere ...., por favor.
- ■ Hola, Javier, ¿qué tal?

2

- ● ¿.......................... con Rosa?
- ○ ...., está hablando por el móvil. ¿..................... un recado?
- ● No, llamo más tarde. Gracias.

EL PRESENTE DE SUBJUNTIVO DE LOS VERBOS REGULARES E IRREGULARES

2 **Escribe el infinitivo y la persona de estos verbos regulares en presente de subjuntivo.**

1. vivamos ....
2. expresen ....
3. se conecte ....
4. bajes ....
5. envíe ....
6. aprendáis ....
7. decidamos ....
8. informes ....
9. reciba ....
10. entremos ....
11. abras ....
12. me conecto ....
13. habléis ....
14. escriban ....
15. adjuntéis ....

3 **Escribe el subjuntivo de estos verbos irregulares.**

1. haber, él ....
2. estar, yo ....
3. ser, nosotros ....
4. hacer, vosotros ....
5. salir, tú ....
6. ir, usted ....
7. tener, ellos ....
8. ver, nosotros ....
9. venir, yo ....
10. poner, vosotros .....
11. tener, nosotros ......
12. ser, vosotros ....
13. ver, ellos ....
14. hacer, yo ....
15. traer, tú ....

4 **Indica si estas formas verbales son de indicativo (I) o subjuntivo (S). Escribe su infinitivo.**

1. voy ....
2. vengan ....
3. tienen ....
4. vengo ....
5. haya ....
6. salgamos ....
7. venís ....
8. hagáis ....
9. hacen ....
10. vayamos ....
11. sea ....
12. estés ....
13. veamos ....
14. traemos ....
15. ponen ....

5 **Completa las frases con los verbos del recuadro en presente de indicativo o subjuntivo.**

• tener • decir • navegar • colgar • ser • ofrecer
• haber • conectarse • gustar • preferir

1. Creo que los jóvenes .... mucho por la red.
2. No creo que mucha gente .... a Internet los fines de semana.
3. Pensamos que la televisión .... muy educativa.
4. Ustedes piensan que los documentales .... una gran audiencia.
5. No creen que .... una buena programación en la televisión pública.
6. Pensáis que la gente .... programas del corazón.
7. No creéis que la televisión .... buenos programas.
8. No pienso que a mis padres les .... los dibujos animados.
9. Creo que los jóvenes .... demasiada información personal en Internet.
10. No creemos que en Internet la gente .... la verdad.

EXPRESAR ACUERDO, DESACUERDO Y PRESENTAR UN CONTRAARGUMENTO

6 **Lee las siguientes frases y clasifícalas en la tabla.**

1 Sí, estoy de acuerdo, pero existen unas desventajas que hay que conocer y ser cuidadosos.

2 Y para mí también, sobre todo, porque nos permite estar en contacto con los amigos de diferentes partes del mundo.

3 Sí, es verdad.

4 Pues yo no estoy de acuerdo, creo que los jóvenes están usando demasiado este medio y pueden estar en contacto con personas negativas para sus vidas.

5 No creo que haya inconvenientes, hay que abrirse a las nuevas tecnologías y progresar.

6 Creo que Internet ofrece muchas ventajas a los usuarios.

7 Puede ser, pero para mí lo más importante es el uso que podemos hacer de Internet, podemos buscar y tener toda la información en segundos.

8 ¿Y qué opinas de las redes sociales? Creo que para los jóvenes es el mejor modo para comunicarse con los amigos.

9 Bueno, todos los medios hay que usarlos de forma moderada.

10 Sí, es verdad, pero también tiene inconvenientes, hay que tener cuidado con la información personal que colgamos en la red.

expresar acuerdo	expresar desacuerdo	presentar un contraargumento

7 **Lee estas afirmaciones y reacciona expresando acuerdo o desacuerdo con ellas.**

1. Los jóvenes navegan demasiado por la red. ....
2. Los *reality show* son divertidos. ....
3. Los documentales tienen poca audiencia. ....
4. La televisión pública tiene buena programación. ....
5. La gente prefiere programas del corazón. ....
6. Colgamos demasiada información personal en Internet. ....

LOS USOS DE *SER* Y *ESTAR*

8 **a. Lee las frases y selecciona la opción correcta.**

1. Este ordenador *es/está* mío, pero puedes usarlo.
2. Tienes que usar esta red social porque *es/está* bien, *es/está* muy útil y ya *somos/estamos* 5000 usuarios.
3. Las redes sociales *son/están* cambiando la forma de comunicarse. Los jóvenes *son/están* los usuarios que más utilizan las redes porque *es/está* una forma muy rápida para *ser/estar* con los amigos.
4. Nosotros *somos/estamos* muy contentos de utilizar Internet porque nos ayuda en nuestras clases.
5. Tengo muchos amigos de Internet, algunos *son/están* españoles y otros *son/están* de Brasil, México y Alemania. Algunos *son/están* estudiantes, otros *son/están* profesores, abogados o economistas. Yo *soy/estoy* estudiando Medicina, pero tengo muchas cosas en común con ellos. Nosotros *somos/estamos* abiertos, simpáticos, ¡también *somos/estamos* guapos! ☺ y nos gustan las redes sociales.

b. Escribe los usos de *ser* y *estar* que aparecen en el ejercicio anterior.

Ser se usa para	*Estar* se usa para
•	• ....
•	• ....
•	• ....
•	• ....
•	• ....
•	
•	
•	

c. Lee los comentarios sobre estas páginas web y describe sus características usando *ser* y *estar*.

Compartir Informar sobre mal uso Siguiente blog» Crear un blog Acceder

COMENTARIO

www.jovenesdelmundo.com

Comentario 21 de junio.

Página española muy interesante, para gente joven, con información actual, gratis.
Ya tiene un año, el próximo viernes hay una fiesta para celebrarlo.
Ya hay 100000 usuarios.
Página bien hecha.
Ahora mismo 30000 personas de Italia, Francia, México y Grecia ven esta página.

La página es española, ...
....
....

Compartir Informar sobre mal uso Siguiente blog» Crear un blog Acceder

COMENTARIO

www.todopor5euros.com

Comentario 7 de julio.

Página muy útil creada por informáticos argentinos (Paco y Alberto) para todo el público. 5 € al mes por participar en ella y beneficiarse de sus servicios (descuentos, concursos, regalos).
Muy fácil de usar. En este momento participan 25000 usuarios de diferentes países.

....
....
....

LAS PERÍFRASIS: *(NO) TENER/HABER QUE* CON PRONOMBRES DE OD Y OI

9 a. Lee estos consejos básicos sobre el uso de la televisión y completa con la perífrasis adecuada.

El uso inteligente de la televisión en familia

1. En general, no .... «ver televisión», sino «ver programas de televisión».
2. Los niños .... dedicar un tiempo determinado a ver la televisión, no las 24 horas del día. .... establecer un horario.
3. .... seleccionar los programas más adecuados según la edad y los gustos.
4. Los padres .... enseñar a los niños los espacios más interesantes y educativos.
5. .... respetar los gustos de cada uno. Nadie .... controlar el uso del mando a distancia.
6. Los padres .... acompañar a los niños cuando ven la televisión y también .... que saber qué programas les gustan para conocer sus preferencias.
7. .... evitar usar la televisión como premio o castigo para los niños.
8. No .... poner una televisión en cada habitación porque se pierde la comunicación con el resto de la familia.
9. Toda la familia .... dedicar tiempo al ocio, los deportes, salir con amigos, etc.
10. En definitiva, ... hacer un uso inteligente de la televisión.

b. Transforma los consejos anteriores como en el ejemplo.

1. *(La televisión) No hay que verla.*
2. ....
3. ....
4. ....
5. ....
6. ....
7. ....
8. ....
9. ....
10. ....
11. ....
12. ....

10 a. **Escribe frases completas como en el ejemplo.**

1. (Tener, tú)/enviar/información/al director. *Tienes que enviársela.*
2. (Haber)/conectar/el ordenador. ....
3. (Tener, yo)/pedir/programas/al informático. ....
4. (Tener, vosotros)/cambiar/la contraseña. ....
5. (Tener, ellos)/descargar/documentos. ....
6. (Tener, nosotros)/colgar/las fotos. ....
7. (Haber)/abrir/esos archivos. ....

FICHA DE APRENDIZAJE

AHORA YA SABES

Hablar por teléfono:
Preguntar por una persona
- *¿Está Bea, por favor?*
- *¿Puedo hablar con Carlos?*

Identificarse
- *Sí, soy yo.*
- *De parte de Luisa.*

Solicitar información
- *¿Quién lo llama, por favor?*
- *¿De parte de quién?*
- *¿Quién es, por favor?*

Solicitar espera
- *(Espere) un momento, por favor.*

Decir que se ha equivocado o no está disponible
- *No, no es aquí.*
- *No, se ha equivocado.*
- *Ahora no puede ponerse.*

Preguntar si quiere/puede dejar un recado
- *(Ahora no está). ¿Quiere dejar un recado?*
- *¿Puede darle un recado?*

Pedir opinión
- *¿Crees que los periodistas son objetivos?*
- *Para mí, ese programa es muy interesante, ¿y para ti?*

Dar una opinión
- *Para mí también.*

Preguntar si está de acuerdo
- *¿(Estás) de acuerdo?*
- *¿Estás de acuerdo con esa opinión?*

Invitar al acuerdo
- *La programación es muy buena, ¿verdad?/¿no?*

Expresar acuerdo
- *Sí, es verdad.*
- *Sí, para mí también/tampoco.*
- *Sí, yo también creo que es buena.*
- *Sí, estoy de acuerdo.*

Expresar desacuerdo
- *(No), no es verdad.*
- *No estoy de acuerdo.*

Presentar un contraargumento
- *Sí, es verdad, pero hay películas muy interesantes.*
- *Sí, estoy de acuerdo, pero hay programas poco útiles.*

Expresar obligación
- *Tienes que colgar las fotos en Facebook.*
- *Hay que enviar un correo.*

AHORA YA CONOCES

La programación de televisión
- *las noticias, los deportes, el programa musical, el concurso, la teletienda, el tiempo, el telediario, la serie, el debate, la telenovela, la película, el documental, el* magazine, *el* reality show *o el programa de telerrealidad, los dibujos animados, el partido de fútbol/tenis/baloncesto.*

El ordenador
- *el ordenador, el teclado, la pantalla, los altavoces, el lector de CD, el ratón, la torre, la impresora, la memoria USB, el cable, el monitor.*

Internet
- *la página web, el correo electrónico, la arroba, la contraseña, el nombre de usuario, el chat, el foro de discusión, el buscador, el enlace, la red social.*

Acciones del mundo de Internet
- *navegar (por la red), recibir (un mensaje electrónico), conectarse (a Internet), colgar (una foto), entrar (en una página web), bajarse (un programa), abrir (una cuenta de correo electrónico), enviar (una copia oculta), recibir/guardar/abrir/adjuntar/reenviar (un archivo), pinchar (en un enlace).*

Fonética y Ortografía

Reglas para saber cuál es la sílaba tónica

Regla 1: El acento ortográfico o tilde en una palabra indica cuál es la sílaba tónica: *fútbol, electrónico, ratón.*
Regla 2: En las palabras que no llevan acento ortográfico, la sílaba tónica es:
- La penúltima si la palabra termina en vocal, *-n* o *-s*: *foro, navegan, altavoces.*
- La última si la palabra acaba en consonante, excepto *-n* o *-s*: *monitor, documental, realidad.*

1 Escucha, repite y subraya la sílaba tónica.

45

1. arroba
2. social
3. dámelo
4. buscador
5. concurso
6. impresora
7. pantalla
8. electrónico
9. cable
10. contraseña

2 Lee estas palabras y escríbelas en el grupo adecuado.

• altavoces • ordenador • español • colgar • torre • partido • hospital • entran

sílaba tónica: la penúltima sílaba	la última sílaba
•	• ....
•	• ....
•	• ....
•	• ....

Tipos de palabras según la posición del acento en la sílaba tónica

- Agudas: la sílaba tónica es la última: *ascensor, hotel, Internet, Tomás.*
- Llanas: la sílaba tónica es la penúltima: *tarjetas, pantalla, reciben, fútbol.*
- Esdrújulas: la sílaba tónica es la antepenúltima: *página, teléfono, cámara.*
- Sobreesdrújulas: la sílaba tónica es la anterior a la antepenúltima: *cómetelo, envíamelo.*

3 Escucha, repite y subraya la sílaba tónica.

1. canal
2. estómago
3. píntaselo
4. pinchar
5. pájaro
6. papel
7. enlace
8. teclado
9. cuélgalas
10. bájatelo

4 Clasifica las palabras anteriores en el grupo adecuado.

agudas	llanas	esdrújulas	sobreesdrújulas

TRABALENGUAS

5 Lee los trabalenguas y subraya la sílaba tónica.

1. Memo Medina mimaba melosamente
   al minino de su mamá Manuela,
   mientras Modesto, muchacho moreno,
   remontaba las cumbres a lomo de mula
   comiendo y mascando.

2. Pedro Pablo Pérez Pereira, pobre pintor
   portugués, pinta pinturas por poca plata
   para pasar por París.

Léxico

EVENTOS Y ACTIVIDADES CULTURALES

a. Observa las imágenes y relaciónalas con uno de los eventos o actividades culturales del recuadro. No están todos.

1. música en directo	2. espectáculo de danza	3. museo interactivo	4. grafiti
5. coreografía	6. taller de pintura	7. teatro musical	8. concurso fotográfico
9. presentación de discos	10. cortometraje		

b. Completa las frases con las palabras del recuadro anterior.

1. Me gustan las .... porque puedes ver a tus cantantes favoritos, tener su autógrafo y hacerte fotos con ellos.
2. No nos gusta escuchar música en la radio, preferimos la ....
3. En el último festival de cine ganó el premio un .... español.
4. Es impresionante la .... de este grupo, es un gran espectáculo de baile.
5. En esta ciudad hay muchos .... en las paredes.
6. Hoy en el .... nos enseñan la técnica para pintar paisajes.
7. Mañana por la noche hay un .... con bailarines de Rusia.
8. Le encanta la fotografía, por eso, siempre participa en ....
9. Si te gustan la música y el teatro, debes ir al ...., que ofrece las dos cosas en la misma obra.
10. El museo del siglo XXI es un .... donde el visitante, además de observar, puede oír, tocar y experimentar con los elementos del museo.

c. **Con las actividades anteriores, crea tu programa ideal para una noche cultural. Anota en tu agenda cuándo y dónde vas a ir.**

FESTIVALES

2 **Completa la ficha de este evento con las palabras del recuadro, y marca si son verdaderas o falsas las afirmaciones que se hacen.**

• premio	• edición	• inicio	• duración	• festival	• celebración	• sede	• figura

.... Internacional de la Canción de Viña del Mar

Se le considera el festival musical más importante de Latinoamérica en el que compiten tanto canciones internacionales como folclóricas.

La .... de este año, como en años anteriores, reúne a .... conocidas a nivel internacional.

Año de ....: 1960.

Lugar: Viña del Mar (Chile).

Fecha: Última semana de febrero de cada año.

................: Una semana.

................: Anfiteatro de la Quinta Vergara (con capacidad para 15 000 espectadores).

................: Antorcha de plata, Antorcha de oro y Gaviota de oro.

Curiosidades: En la .... del festival, el público tiene un papel importante porque es el que decide con sus aplausos o sus gritos el artista ganador. Lo llaman *el monstruo* porque puede hacer que el artista deje de cantar si no le gusta la canción.

1. Al evento asisten artistas de todo el mundo. V F
2. El premio es una figura femenina. V F
3. Se celebra dos veces al año. V F
4. Se celebra el segundo mes del año. V F
5. El espectador da el premio al artista. V F

Gramática y Funciones

LAS PREPOSICIONES *POR* Y *PARA*

1 **Selecciona la preposición adecuada.**

1. Ayer vimos un espectáculo de danza solo *por/para* 10 €.
2. El concurso fotográfico es solo *por/para* mayores de 18 años.
3. *Por/Para* mí el teatro musical es mejor que la danza.
4. Ya tengo el programa de las actividades culturales *por/para* el 5 de junio.
5. Creo que el festival es *por/para* agosto, pero no sé el día.
6. Me gustan las grandes ciudades *por/para* sus actividades culturales.
7. ¿Podemos comprar las entradas *por/para* Internet?
8. Mañana *por/para* la mañana voy a visitar un periódico.
9. Estas actividades son *por/para* conocer la vida de algunos pintores.

2 **Estos son algunos mensajes que lee hoy Celia.**

a. Complétalos con *por* o *para*.

1

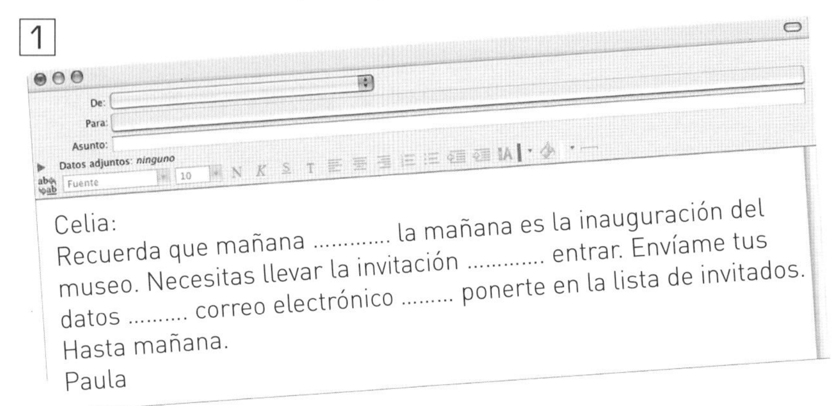

Celia:
Recuerda que mañana .... la mañana es la inauguración del museo. Necesitas llevar la invitación .... entrar. Envíame tus datos .... correo electrónico .... ponerte en la lista de invitados.
Hasta mañana.
Paula

3

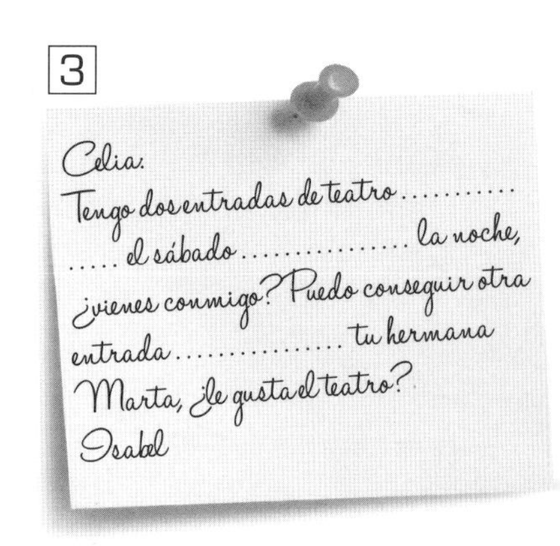

Celia:
Tengo dos entradas de teatro ....
..... el sábado .... la noche, ¿vienes conmigo? Puedo conseguir otra entrada .... tu hermana Marta, ¿le gusta el teatro?
Isabel

2

Solo .... llamar los fines de semana puedes ganar entradas .... ir a conciertos o ver espectáculos .... poco dinero.
Llama ahora.
663958472

4

Celia:
Gracias .... tu ayuda en la preparación de las actividades. Estoy enfermo y no puedo presentar el documental, ¿puedes hacerlo .... mí?
Espero tu respuesta.
Mario

b. Contesta las preguntas.

1. ¿Para qué necesita Celia la invitación? ....
2. ¿Cómo va a enviar su información personal a Paula? ....
3. ¿Qué puede conseguir Celia si llama los fines de semana? ....
4. ¿Cuándo es la obra de teatro? ....
5. ¿Para quién es la tercera entrada de teatro? ....
6. ¿Por qué Mario no puede presentar el documental? ....

3 **Escribe frases completas con esta información. Usa *por* y *para*.**

1. Ayer ir al cine (yo)/5 €.
2. Recibir (tú) el programa/fax.
3. Esta película ser/los niños.
4. Estas ser las actividades/mañana.
5. Mí/la danza ser maravillosa.
6. Hoy poder (nosotros) ver espectáculos/toda la ciudad.
7. El festival de cine ser/mayo.
8. Esos eventos ser una oportunidad/conocer la ciudad.

1. *Ayer fui al cine por 5 €.*
2. ....
3. ....
4. ....
5. ....
6. ....
7. ....
8. ....

LAS ORACIONES DE RELATIVO CON *QUE* Y *DONDE*

4 **Reescribe las frases relacionando la información con *que* o *donde*. Cuidado con el tiempo verbal.**

1. El escritor recibir ayer un premio. El escritor ser español.
   El escritor que recibió ayer un premio era español.
2. La película ganar en el festival del año pasado/ser de Almodóvar.
   ....
3. El documental ver (nosotros) ayer/tener información sobre Dalí.
   ....
4. El museo celebrarse la exposición/estar cerca de la plaza Mayor.
   ....
5. Los artistas cantar el sábado pasado en el concierto/ser mexicanos.
   ....
6. El lugar proyectarse la película/estar bien iluminado.
   ....
7. En la sala dar el concierto el guitarrista/haber muchos artistas famosos.
   ....
8. La novela tener más éxito el año pasado/ser de Vargas Llosa.
   ....

5 **Selecciona el pronombre relativo adecuado.**

1. El libro *que/donde* leyeron era de Cervantes.
2. El cine *que/donde* vi la película era pequeño.
3. En el teatro *que/donde* entregaron los premios no cabía mucha gente.
4. El cantante *que/donde* actuó tenía muchos fans.
5. En la sala *que/donde* celebramos la fiesta había gente muy diversa.
6. La obra *que/donde* visteis era muy divertida.
7. El artista *que/donde* recibió el premio era colombiano.
8. La clase *que/donde* hicieron el taller de pintura no tenía suficiente luz.

HABLAR DE DESEOS

6 **Relaciona cada una de las siguientes frases con su función.**

1. ¿Qué quieres hacer el sábado?
2. ¿Quedamos el domingo?
3. ¿Qué tal si vamos al teatro a las 22:00?
4. Entonces, ¿vienes conmigo?
5. ¿Por qué no vamos a comer?
6. Me gustaría ir a un concierto.
7. ¿Os gustaría ver mañana una exposición?
8. De acuerdo.
9. Bueno, vale, pero mejor a cenar.
10. No, lo sentimos. Otro día.
11. Sí, pero mejor a las 21:00.
12. No, lo siento, es que ya tengo planes.

a. preguntar por deseos ....
b. expresar deseos ....
c. proponer y sugerir ....
d. solicitar confirmación ....
e. aceptar una propuesta ....
f. rechazar una propuesta ....

LAS PERÍFRASIS: *EMPEZAR A, ACABAR DE, VOLVER A* + INFINITIVO

7 **Completa con la perífrasis adecuada en el tiempo verbal correcto.**

1. La semana pasada hablé con Javier y anoche .... hablar con él.
2. En este momento .... terminar la película.
3. Por primera vez (yo) .... ver solo películas en versión original.
4. Mañana .... actuar el mismo artista de ayer.
5. No puedes entrar en el museo porque .... cerrar ahora mismo.
6. Los actores españoles .... ser conocidos internacionalmente por primera vez.
7. Este año .... ganar otra vez la misma actriz.
8. Hace cinco minutos (nosotros) .... hablar con un actor.

LOS CUANTIFICADORES: *MUCHO, DEMASIADO, SUFICIENTE, BASTANTE, POCO*

8 **Selecciona el cuantificador adecuado.**

1. Había espacio libre en el concierto porque había *mucha/poca/demasiada* gente.
2. Como tiene *poco/mucho/demasiada* dinero, este año ha ido a varios conciertos.
3. El espectáculo de luz es *bastante/mucho/poca* original.
4. Los cantantes estaban muy contentos porque recibieron *pocos/muchos/bastante* premios.
5. Algunas calles de la ciudad están sucias. Hay *demasiados/poco/muchas* grafitis en las paredes.
6. Nunca hay *pocas/suficientes/bastante* fiestas para los jóvenes, ellos siempre quieren más.
7. Este museo es famoso. Cada año recibe la visita de *pocas/muchos/demasiadas* turistas.
8. En los baños árabes había *mucha/bastante/pocas* personas, por eso no entramos.

9 **Ordena las palabras y escribe la frase completa. Haz los cambios necesarios.**

1. el/festival/En/gente/demasiado/había. ....
2. ganadora/mucho/románticas/tiene/La/escenas/película. ....
3. se divirtió/festival/música/gente/de/La/mucho/el/en. ....
4. españoles/de/poco/tenía/La/obras/pintores/exposición. ....
5. El/museo/buenos/tiene/cuadros/mucho/muy. ....
6. danza/El/bastante/de/espectáculo/bien/está. ....
7. suficiente/He visto/españolas/películas. ....
8. En/países/había/otros/de/bastante/concierto/personas/el. ....

LOS INDEFINIDOS: *TODO, NADA, NADIE, ALGO, ALGUIEN, ALGÚN, NINGÚN*

10 **Completa con el indefinido adecuado.**

1. Tod............ los participantes del concurso fotográfico recibieron alg............ premio.
2. ● ¿Te gusta alg............ película del festival?
   ○ No, no me gusta ning............ .
3. ● ¿Vas a ver alg............ museo en la Noche en Blanco?
   ○ Sí, voy a ver alg............, ¿y tú qué vas a hacer?
   ● No sé, todavía no he decidido nad............ Creo que voy a llamar a alg............ amigos y ver si hacemos alg............ .
4. En el concierto no hay ning............ canción en español.
5. En tod............ las actividades culturales siempre conoces a alg............ interesante.
6. Este año, en la Noche en Blanco no hay ning............ espectáculo de danza.
7. Normalmente la obra termina a las ocho. Después, ya no hay nad............ en el teatro porque tod............ la gente sale rápidamente.
8. Me interesan mucho los documentales, pero a mi amigo no le interesan nad............ .

FICHA DE APRENDIZAJE

AHORA YA SABES

Referirse a personas, objetos y lugares concretos
- *El documental que proyectaron era sobre Picasso.*
- *Los baños donde estuve eran preciosos.*

Hablar de deseos
- *¿Quieres/Te gustaría ir a París?*
- *¿Qué quieres/te gustaría hacer mañana?*
- *Me gustaría ir al cine el fin de semana.*

Proponer y sugerir
- *¿Vamos a bailar?*
- *¿Vienes al teatro?*
- *¿Comemos mañana?*
- *¿Quedamos el sábado?*
- *¿Por qué no vamos a comer?*
- *¿Qué tal si vamos al cine esta tarde?*

Solicitar confirmación sobre una propuesta
- *Entonces, ¿vienes con nosotros?*
- *Entonces, ¿te quedas?*

Aceptar una propuesta
sin reservas
- *(Sí), vale*
- *Vale, ¿por qué no?*
- *De acuerdo.*
- *Encantado/a.*

con reservas
- *Sí, pero más tarde.*
- *Bueno, vale, pero por la tarde.*
- *No sé, bueno.*

Rechazar una propuesta y justificarla
- *No, no, muchísimas gracias, está muy rico, pero no quiero más.*
- *No, no, gracias. No fumo.*
- *Lo siento. Me encanta, pero no puedo.*
- *No, lo siento. No he dormido bien y prefiero ir a casa. Otro día.*
- *No, lo siento, es que no tengo tiempo.*

Expresar inicio de una acción
- *A las 17:00 he empezado a estudiar.*

Expresar fin inmediato de una acción
- *Acabo de estudiar ahora.*

Expresar repetición de una acción
- *Ayer vi a Juan y hoy lo he vuelto a ver.*

Expresar cantidad o intensidad
- *Había poca/mucha/demasiada gente.*
- *Hacía demasiado/mucho calor.*

Hablar de personas y cosas no concretas
- *¿Hay alguien?*
- *No hay nadie.*
- *No veo nada.*

AHORA YA CONOCES

Los eventos y actividades culturales
- *el museo interactivo, la música en directo, la presentación de discos, el taller de pintura, el concurso fotográfico, el teatro musical, el espectáculo de danza, el grafiti, el cortometraje, la coreografía, el concierto, las artes visuales, las artes escénicas, la conferencia, la exposición, la actuación musical.*

Los festivales
- *la sede, la duración, el inicio, el premio, la figura, la edición, la celebración, el festival de cine/música/teatro/guitarra, el escenario.*

Fonética y Ortografía

Reglas generales de acentuación

El acento ortográfico o tilde sirve para indicar cuál es la sílaba tónica.

- Las palabras agudas llevan tilde cuando terminan en *-n*, *-s* o vocal: *balón, inglés, sofá.* Excepción: si la *-s* va detrás de otra consonante: *ballets.*
- Las palabras llanas llevan tilde cuando terminan en consonante que no sea *-n*, *-s*: *árbol, Méndez, césped, carácter.* Excepción: si la *-s* va detrás de otra consonante: *bíceps.*
- Las palabras esdrújulas y sobreesdrújulas llevan tilde siempre: *teléfono, gramática.*

1 Escribe estas palabras en el grupo adecuado.

• francés • persona • camarero • época • catalán • portátil
• fantástico • profesional • último • razón • cursos • espárrago

agudas	llanas	esdrújulas/sobreesdrújulas
•	•	• ....
•	•	• ....
•	•	• ....
•	•	• ....

2 Escucha, subraya la sílaba tónica y escribe la tilde si es necesario.

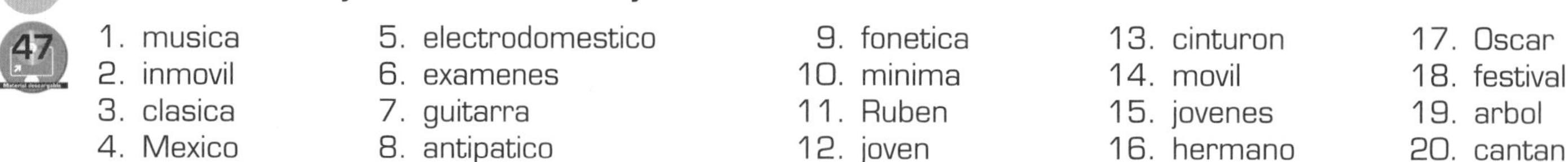

47

1. musica
2. inmovil
3. clasica
4. Mexico
5. electrodomestico
6. examenes
7. guitarra
8. antipatico
9. fonetica
10. minima
11. Ruben
12. joven
13. cinturon
14. movil
15. jovenes
16. hermano
17. Oscar
18. festival
19. arbol
20. cantan

Acentuación en diptongos y triptongos

- Las palabras con diptongo llevan tilde según las reglas de acentuación:
  - vocal fuerte + débil/vocal débil + fuerte: La tilde va en la vocal fuerte: *miércoles, después.*
  - vocal débil + vocal fuerte: La tilde va en la segunda vocal: *cuídate.*
- Los triptongos se acentúan según las reglas generales. La tilde siempre va sobre la vocal abierta: *estudiéis, enviáis.*
- Los diptongos y los triptongos se rompen en dos sílabas distintas cuando el acento tónico cae en la vocal débil (*i, u*) y se pone tilde sobre la vocal débil: *dí-a, flú-or, comí-ais.*

3 Subraya los diptongos, escucha y escribe la tilde.

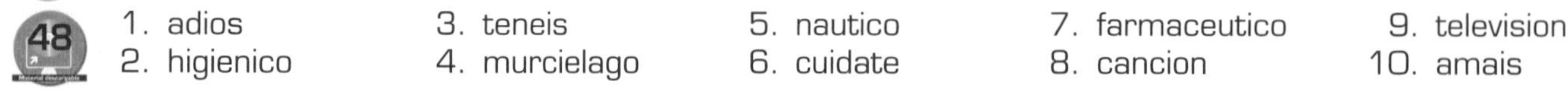

48

1. adios
2. higienico
3. teneis
4. murcielago
5. nautico
6. cuidate
7. farmaceutico
8. cancion
9. television
10. amais

4 Subraya los triptongos, escucha y escribe la tilde.

49

1. limpiais
2. evalueis
3. actuais
4. esquiais
5. cambieis
6. acentueis
7. averigüeis
8. ampliais
9. confiais
10. cambiais

5 Escucha, subraya la sílaba tónica y escribe la tilde si es necesario.

50

1. comian
2. baile
3. acentuais
4. confio
5. limpio
6. acentuo
7. peine
8. evaluais
9. caminais
10. saldrian